韶光仁兄雅賞 乙丑歲首 梁始寫於多倫多

天增歲月人增壽

宋韶光文化企業

香港北角英皇道388號北港商業大厦4字樓A座
電話:（852）2566-1026 傳真:（852）2887-1128

美國辦事處:

SUNG'S CULTURAL ENTERPRISE (U.S.A.)

11017 W. Hondo Pkwy, Suite A
Temple City, CA 91780, U.S.A.
TEL: (626) 618-0618 FAX: (626) 618-0938

電腦網址: http:// www.MasterSung.com

目錄

西曆紀元	干支	生肖	虛齡
二〇〇九	己丑	牛	一歲
二〇〇八	戊子	鼠	二歲
二〇〇七	丁亥	豬	三歲
二〇〇六	丙戌	狗	四歲
二〇〇五	乙酉	雞	五歲
二〇〇四	甲申	猴	六歲
二〇〇三	癸未	羊	七歲
二〇〇二	壬午	馬	八歲
二〇〇一	辛巳	蛇	九歲
二〇〇〇	庚辰	龍	十歲
一九九九	己卯	兔	十一
一九九八	戊寅	虎	十二
一九九七	丁丑	牛	十三
一九九六	丙子	鼠	十四
一九九五	乙亥	豬	十五
一九九四	甲戌	狗	十六
一九九三	癸酉	雞	十七

西曆紀元	干支	生肖	虛齡
一九九二	壬申	猴	十八
一九九一	辛未	羊	十九
一九九〇	庚午	馬	二十
一九八九	己巳	蛇	廿一
一九八八	戊辰	龍	廿二
一九八七	丁卯	兔	廿三
一九八六	丙寅	虎	廿四
一九八五	乙丑	牛	廿五
一九八四	甲子	鼠	廿六
一九八三	癸亥	豬	廿七
一九八二	壬戌	狗	廿八
一九八一	辛酉	雞	廿九
一九八〇	庚申	猴	三十
一九七九	己未	羊	卅一
一九七八	戊午	馬	卅二
一九七七	丁巳	蛇	卅三
一九七六	丙辰	龍	卅四

西曆紀元	干支	生肖	虛齡
一九七五	乙卯	兔	卅五
一九七四	甲寅	虎	卅六
一九七三	癸丑	牛	卅七
一九七二	壬子	鼠	卅八
一九七一	辛亥	豬	卅九
一九七〇	庚戌	狗	四十
一九六九	己酉	雞	四一
一九六八	戊申	猴	四二
一九六七	丁未	羊	四三
一九六六	丙午	馬	四四
一九六五	乙巳	蛇	四五
一九六四	甲辰	龍	四六
一九六三	癸卯	兔	四七
一九六二	壬寅	虎	四八
一九六一	辛丑	牛	四九
一九六〇	庚子	鼠	五十
一九五九	己亥	豬	五一

西曆紀元	干支	生肖	虛齡
一九五八	戊戌	狗	五二
一九五七	丁酉	雞	五三
一九五六	丙申	猴	五四
一九五五	乙未	羊	五五
一九五四	甲午	馬	五六
一九五三	癸巳	蛇	五七
一九五二	壬辰	龍	五八
一九五一	辛卯	兔	五九
一九五〇	庚寅	虎	六十
一九四九	己丑	牛	六一
一九四八	戊子	鼠	六二
一九四七	丁亥	豬	六三
一九四六	丙戌	狗	六四
一九四五	乙酉	雞	六五
一九四四	甲申	猴	六六
一九四三	癸未	羊	六七
一九四二	壬午	馬	六八

西曆紀元	干支	生肖	虛齡
一九四一	辛巳	蛇	六九
一九四〇	庚辰	龍	七十
一九三九	己卯	兔	七一
一九三八	戊寅	虎	七二
一九三七	丁丑	牛	七三
一九三六	丙子	鼠	七四
一九三五	乙亥	豬	七五
一九三四	甲戌	狗	七六
一九三三	癸酉	雞	七七
一九三二	壬申	猴	七八
一九三一	辛未	羊	七九
一九三〇	庚午	馬	八十
一九二九	己巳	蛇	八一
一九二八	戊辰	龍	八二
一九二七	丁卯	兔	八三
一九二六	丙寅	虎	八四
一九二五	乙丑	牛	八五

西曆紀元	干支	生肖	虛齡
一九二四	甲子	鼠	八六
一九二三	癸亥	豬	八七
一九二二	壬戌	狗	八八
一九二一	辛酉	雞	八九
一九二〇	庚申	猴	九十
一九一九	己未	羊	九一
一九一八	戊午	馬	九二
一九一七	丁巳	蛇	九三
一九一六	丙辰	龍	九四
一九一五	乙卯	兔	九五
一九一四	甲寅	虎	九六
一九一三	癸丑	牛	九七
一九一二	壬子	鼠	九八
一九一一	辛亥	豬	九九
一九一〇	庚戌	狗	一〇〇
一九〇九	己酉	雞	一〇一
一九〇八	戊申	猴	一〇二

前言

自從一九八五年的「虎年運程」開始，二十多年來我每年均撰寫一本流年運程，很感謝各地讀者的熱烈支持，銷售量每年均節節上升；這是有實銷數字為據，絕非空口誇言。

除了港澳地區外，此書在星馬、歐美及澳紐各地均一紙風行。此外，本書還有英文及泰文譯本。為了不辜負廣大讀者的錯愛厚望，今年的「牛年運程」作了很多改革，務求更完美充實。

生肖運程——本內容主要以生肖運程為主，把十二生肖在牛年的運程逐一詳細推算出來，逐月分析其運程衰旺，提供給讀者作為趨吉避凶的參考。

玄學求真——因為現今的玄學有很多似是而非的理論流傳充斥，以致很多人感到困惑，無所適從。有見及此，筆者把十多年來讀者最主要、最基本的疑惑一一仔細分析，使讀者得以明白其中的真相。

生肖吉祥物——很多讀者均很想知道，若是流年運程欠佳，到底如何才能化解？若是流年運程吉利，到底如何才能旺上加旺呢？因為如此，故此在每個生肖運程之後，特闢三頁來提示可以化煞或生旺的吉祥物，肯定對改善流年運程大有幫助。

牛年每日通勝——這是精心設計而成的現代通勝，內容豐富實用，編排簡明醒目，使讀者對牛年每月每日的吉凶宜忌均可一目了然。

牛年風水吉凶方位——若是流年運程欠佳，但倘若坐臥在當旺的吉利方位，將會令運程大有改善。有見及此，便特意把牛年每個方位的吉凶宜忌一一列出，以助讀者知所趨避。

月份的劃分——對於一年十二個月的劃分，傳統玄學以「節令」來劃分方為正確，而不是以日曆上的「初一」來劃分的，故此本書採用前者來計算，敬希各位讀者垂注。

即將隆重出版

爲你解風水
爲你解掌相
爲你解命理
宋韶光

"為你解風水" 港幣 四十八元
"為你解掌相" 港幣 四十八元
"為你解命理" 港幣 四十八元

風水、掌相以及命理，這類玄學，往往被人誇張失實，以致有不少試圖探究其中奧妙的人，因被誤導而迷失！

為了令一般讀者能一窺玄學門徑，宋韶光以深入淺出的方式，一一揭開風水、掌相及命理的神秘面紗，內容淺顯生動，既益智而又饒有趣味！

這系列分三本，分別是「為你解風水」、「為你解掌相」及「為你解命理」，每本港幣四十八元正。各大書局報攤均有代售，亦可上網訂購。

辨偽嚴正聲明

十多年來，偽冒本人之書刊、月曆及吉祥物等等，愈來愈泛濫失控。近來，市面上出現以"**宋小光**"及"**韶光運程**"等等取巧名義出版之刊物，均絕非本人作品，尚望讀者明察，以免被人魚目混珠，混淆視聽。

為了維護廣大讀者的合法權益，本人除了採取法律行動追究外，並在此發表嚴正聲明；希望廣大讀者注意，倘若任何出版刊物，沒有在封面上刊登本人的照片及"宋韶光"姓名三字，均為偽冒劣品，並非本人出版的書籍，敬希垂注，以免招致損失。

如何防止誤購
偽冒吉祥物

防偽標籤

防偽兩標需同時存在，
才能保証是真品，
尤其是防偽外盒標，
絕對不能缺少，
若沒有防偽外盒標，
即可確定是假貨。

吉祥物正品

刮開防偽標籤塗層，
即顯示四組數字，
可以上網或電話查詢，
憑此以辨別真假。
電話：(86) 4008155888
互聯網：www.t3315.com

偽冒吉祥物

倘若刮開防偽標籤塗層，
未能憑以上電話及互聯網確認，
即可確定為偽冒劣品，
絕對不宜購買。

玄學求真

風水命理，屬於中國傳統的玄學，因為歷史源流太長遠，而傳習途徑太隱晦，以致眾說紛紜，雜亂無章；很多似是而非的理論充斥其間，令人茫無頭緒，無所適從。

筆者因而不揣淺陋，把歷年的研究心得，在這裏發表出來，希望藉此能清除一些成見謬論。

(一) 一年之中，到底有多少生肖沖犯太歲？

要解答這問題，首先要從命理學最基本的理論來探討。命理書中的「子平命理」，開宗明義便有「六沖」、「六合」以及「三會」和「三合」的定義。其中的六沖，便與沖犯太歲有關。

六沖表列如下：—

午(馬)	子(鼠)
未(羊)	丑(牛)
申(猴)	寅(虎)
酉(雞)	卯(兔)
戌(狗)	辰(龍)
亥(豬)	巳(蛇)

以二OO九年的牛年來作例證說明，「牛」是牛年的當值太歲，因自己沒有沖犯自己之理，所以絕不會沖犯太歲！那麼，牛年到底是哪一生肖沖犯太歲呢？查看「六沖」之表，當然是與牛對沖的「羊」了！

如此類推，二O一O年的虎年，虎是當值太歲，而與虎對沖的「猴」，便是沖犯當值太歲。

由此可知，十二生肖當中，每年祇有一個生肖是「當值太歲」，亦祇有一個生肖是「沖犯太歲」的！

古代談婚論嫁排八字，忌諱男女年齡相差六歲，便是源於「六沖」這觀念；故此六沖這種觀念真可說是根深蒂固。

(二)到底運程書中每一個月的劃分，是應以每月的初一來計算？還是應以每月的「入節」來計算？

一般人誤以為中國的農曆，是純以月亮的月圓月缺來計算的；每月的月頭初一，月最缺；每月的月中，月最圓。一年的十二個月，便是如此劃分出來的。

其實，中國的曆法是陰陽曆的結合，因為它既按月亮運行的軌跡，把一年劃分為十二個月；同時又按地球繞日的「黃道」，把一年劃分為二十四個節氣，如立春、驚蟄、清明等。

若按月亮的運行計算，每年約有十天偏差，所以要「三年一閏」來作修正；但若按地球繞日來計算，則偏差極微。

翻開「通勝」，農曆中的二十四節氣，與西曆非常吻合；例如「立春」必在每年西曆二月四日或五日，「清明」必在每年西曆四月五日或六日等等。

由此可知，以地球繞日的「黃道」計算的二十四節氣，偏差極小，其準確性及可信性當然較高；而以月球繞地的「白道」計算的每月初一、十五，偏差大得多，故此它的準確性及可信性便相對較低。

有見及此，這本運程書，每月的劃分當然是以每月的「入節」來計算；而放棄以每月的初一、十五作為基準。所謂「入節」，即是到了每一個月的「節」，便算是那一個月的開始。

為了方便讀者檢閱，現把十二個月的「節」及西曆日期表列如下：—

正月	立春	西曆二月四、五日
二月	驚蟄	西曆三月六、七日

三月	清明	西曆四月五、六日
四月	立夏	西曆五月六、七日
五月	芒種	西曆六月六、七日
六月	小暑	西曆七月七、八日
七月	立秋	西曆八月八、九日
八月	白露	西曆九月八、九日
九月	寒露	西曆十月八、九日
十月	立冬	西曆十一月七、八日
十一	大雪	西曆十二月七、八日
十二	小寒	西曆一月六、七日

(三)有些人認為北半球與南半球，因為氣候季節迴然不同，故此這兩者的東南西北方位亦應有所差異，是否真是如此呢？

的確聽到有些研究玄學的人提出這樣說法。他們認為每當中國(北半球)炎炎夏日之際，正是澳洲(南半球)嚴寒隆冬之時！而在中國愈往北上便愈冰冷，在澳洲愈往北上卻愈酷熱。所以他們根據這些差異來提出嶄新理論，同時亦有許多人予以認同。

但我本人對此卻絕對不敢苟同，因為這是違背科學常理的謬論！

以地球的南北極為依據，無論是在北半球還是南半球，「北極」，永遠在上(北方)，「南極」永遠在下(南方)，否則「南北極」這名詞便站不住腳。

以日出日落為依據，無論是在北半球還是在南半球，日出永遠是在「東」，而日落則永遠是在「西」。

北極
日出(東)
北半球
日落(西)
南半球
南極

既然北半球與南半球的「南北極」並無任何差異，而日出日落的方位亦沒有不同，即是南北、東西完全吻合，那又何以「北半球」的方位到了「南半球」便要改弦易轍呢？這是不是「豈有此理」呢？

(四)新居入伙之日，請問要舉行一些甚麼儀式呢？

中國幅員廣大，各處鄉村各處例，所以入伙的儀式真可謂五花八門，各師各法。我認為萬變不離其宗，祇要掌握了其中基本要素，其它的各種繁文細節便不用多加理會。

(一)挑選適宜「移徙」的良辰吉日——從「通勝」或這本運程書中的「每日通勝」找出哪一天適宜移徙，然後再看看那天是否與一家之主有沖剋？倘若真有沖剋，便要另擇其它日子。擇好日子，便要挑選當天的吉時入伙。

(二)入伙的儀式，基本上有如下四點。

(1)安枕——按照家人的數目，攜帶相關的全新枕頭開門入屋，例如是一家四口，便攜四個新枕，每個枕頭內藏一封「一百三十八元」利市，取其「一生發」的好意頭。

入屋後，把這四個內藏利市的新枕，按著各人的年齡大小，分先後擺放在各人的床頭，年齡愈大便擺放得愈先。擺放枕頭時，必須小心安放，邊放邊說「安枕無憂」，切勿隨便亂拋。

(2)安米缸——新居入伙時，攜帶一隻裝滿了米的米桶，桶中擺放一張寫了「常滿」的紅紙，或是擺放一封一百六十八元利市亦可，取其「一路發」的好意頭。

(3)通氣——把枕頭及米桶安放後，便要開動冷氣或風扇，或是打開所有窗戶來令全屋的空氣流通亦可。

(4)煮水——扭開新居的水喉取水，放在水煲中煮滾。水煮滾後，可分給家中各人即時飲用，或事後飲用亦可。

第(3)及(4)，是取其「風生水起」的好意頭。完成以上四項程序之後，入伙的基本儀式已算完成！至於其它拜神燒香的儀式，那是各適其適了！

十二生肖

牛年每月運程

出生年：
一九九七
一九八五
一九七三
一九六一
一九四九
一九三七

丁丑年——一九九七年出生的人，今年讀書學習較為懶散，成績很可能一落千丈。情緒較易衝動，盡量收斂，切勿爭執打鬥。

乙丑年——一九八五年出生的人，今年感情陰晴不定，易與愛侶爭吵，慎防感情破裂。遠離利器，以免被刀劍剪鋸所傷。

癸丑年——一九七三年出生的人，今年必須忍辱負重，切勿與上司或客戶頂撞。今年宜守不宜攻，不宜轉工以及投資創業。

辛丑年——一九六一年出生的人，今年運勢崎嶇，必須步步為營，切勿輕舉妄動。避免針鋒相對，以免兩敗俱傷而後悔莫及。

己丑年——一九四九年出生的人，今年必須鎖好家中及店舖門窗，以防盜劫之災。財星破損，正財及橫財均不宜憧憬。

丁丑年——一九三七年出生的人，今年身體健康欠佳，必須小心調理，慎勿過勞。年初出外需密切注意交通安全，切勿疏忽。

生肖屬牛(丑)的牛年運程

生肖屬牛的人，今年巧遇牛年，即如俗語所謂「本命年」，再加上命宮中凶星眾多，混雜一起，又無吉星化解，故此今年運勢崎嶇，諸多困阻；必須小心戒備，以免一蹶不振，兵敗如山倒！而最需要注意的是人身安全，遠離危險，以免誤惹血光之災！屬牛的人今年事業方面，宜守不宜攻，緊守崗位，韜光養晦，切勿輕舉妄動！此外，並需忍辱負重，千萬不可與上司或客戶頂撞衝突，否則必定後悔莫及。財運方面，屬牛的人今年財星破損，正財橫財俱不宜憧憬；並需鎖好門窗，以免盜劫之災。屬牛的人今年因有「劍鋒」凶星照命，故應盡量遠離刀劍等利器，慎防刺傷或割傷。感情方面，屬牛的人今年情緒陰晴不定，易喜易怒，容易與人爭拗衝突，慎防因而導致感情破裂。

屬牛的青少年

今年讀書學習情緒比較懶散，若不努力糾正，成績便會一落千丈，遠居人後。今年情緒較易衝動，與人相處必須盡量收斂，以免反目成仇，孤立無伴。今年易惹血光之災，課外活動，必須密切注意安全。

屬牛的婦女

今年夫妻易多口舌爭吵，必須盡量互相忍讓，以免勞燕分飛。財運欠佳，謹慎門戶，慎防會有盜劫之災。屬牛的少女，今年感情陰晴不定，變化莫測，必須順其自然發展，切勿強求，以免誤己誤人。

事業

屬牛的人今年巧遇本命年，而又有眾多凶星混雜在命宮中，故此今年運勢崎嶇不平。工作進展諸多困阻，必須步步為營，以免一蹶不振。今年工作較多阻滯的月份，是農曆正月、二月、六月、七月、十月及十二月，必須小心戒備，謀定而後動。今年工作進展較暢順的月份，是農曆的三月、五月、八月及九月，在這幾個月期間，應好好把握時機奮發向上。

財運

屬牛的人今年財星破損，正財及橫財俱欠佳，切莫強求，以免血本無歸；此外，並需鎖好門窗，慎防發生盜劫之災。今年財運低迷的月份，是農曆的正月、二月、六月、十月及十二月，在這幾個月期間，理財必須格外小心謹慎。今年財運較佳的月份，是農曆的五月，八月及十一月，應好好把握時機盡量開源節流。

健康

屬牛的人今年因有「劍鋒」凶星照命，預示易被刀劍斧鋸等利器刺傷或割傷，故此必須遠離這些利器；此外，並需爭取足夠休息睡眠，慎勿過勞。今年易惹血光之災的月份，是農曆六月及十二月。農曆正月及二月，則需密切注意交通安全。

感情

屬牛的人今年情緒陰晴不定，喜怒無常，容易與人爭拗衝突；必須力矯此弊，以免感情破裂，勞燕分飛。今年感情易出問題的月份，是農曆的正月、二月、六月、十月及十二月，必須彼此互諒互讓，小心維繫感情，否則便後悔莫及！

農曆正月（丙寅月）

西曆二〇〇九年二月四日——三月四日

●本月凶星混雜，穩守待時

屬牛的人今年遇正本命年，而且命宮中又多凶星混雜，故此流年不利。年初運勢欠佳，將會有不少阻滯！在這段期間最重要的，是暫時千萬不可輕舉妄動，必須保持低調，穩守崗位，靜待時機。財星破損，財運欠佳，不利投資創業；新春賭博衹宜小注怡情。健康尚可，但晚上出門，必須密切注意交通安全，請記緊安全第一。感情易出問題，切勿冷落伴侶，必須多些溝通及包容諒解，以免感情破裂。

農曆二月（丁卯月）

西曆二〇〇九年三月五日——四月三日

●本月站穩腳跟，堅定不移

這個月的運勢依然低沉，直至月尾才會有些少起色；這個月在工作方面將會內外交煎，內部備受掣肘，而外邊又備受攻擊！在這段期間最重要的，是必須處變不驚，面對困境需堅定不移，切勿畏縮，以免自亂陣腳而前功盡廢。財運浮沉反覆，正財及橫財均不宜憧憬；並需鎖緊門窗，以免盜劫之災。這個月腸胃容易受損，必須密切注意飲食；此外，仍需要密切注意交通安全。感情仍在冷戰階段，必須小心維繫。

農曆三月（戊辰月）

西曆二〇〇九年四月四日——五月四日

○本月曙光初露，漸入佳境

這個月的運勢反覆向上，在迂迴曲折之中漸入佳境，可以說是遲來的春天。工作困阻逐漸消除，業務重新走上正軌！在這段期間最重要的，是冷靜客觀地去評估當前的形勢、以及決定未來發展的動向及步驟；以免迷失方向而自陷困境。財運雖有改善，但仍需小心看管財物，並要盡量減省不必要的開支。健康情況明顯有所改善，但切勿沉迷酒色，以免酒色傷身。感情出現轉機，應好好珍惜時機培養感情。

農曆四月（己巳月）
西曆二〇〇九年五月五日——六月四日

○本月以誠待人，厚德載福

這個月的運勢平穩有餘，但突破不足！故此祇能蓄勢待發，而仍不是大舉出擊的良好時機。特別易惹小人是非，故此在這期間最重要的，是盡量以誠待人，以真誠來化解妒恨及不滿，並且真心諒解別人的錯誤，這對公對私均大有好處。財運先衰後盛，月中開始財運大有起色，正財及橫財俱會略有收獲，但需慎防受騙。健康並無大礙，但月初必須提防水險。感情大有進展，但切勿見異思遷而自尋煩惱。

農曆五月（庚午月）
西曆二〇〇九年六月五日——七月六日

●本月廣結善緣，乘時進取

這個月因有眾多吉星照命，故此運勢暢旺，工作得心應手，事半功倍！屬牛的人今年若想有所收獲，必須趁著這難得的好時機大舉出擊，奮發向上，否則便會蹉跎歲月而一事無成！在這段期間最重要的，是必須廣結善緣，盡量爭取同事的支持，而千萬不可與上司或客戶頂撞拗撬，以免自毀前程。財星高照，月中很可能幸運中獎。健康大有改善，但切勿沾惹毒品。易與異性擦出感情火花，不妨勇於表達心意。

農曆六月（辛未月）
西曆二〇〇九年七月七日——八月六日

●本月陰霾密佈，財星破損

屬牛的人今年的運勢崎嶇不平，上個月的旺運至此急轉直下，無以為繼！工作方面出現諸多困阻，有欲振乏力而停滯不前的境況！在這段期間最重要的，是要為大局著想，必須忍辱負重！千萬不可意氣用事，以免小不忍而亂大謀。財星破損，橫財切勿強求，以免焦頭爛額！並需慎防被人侵吞錢財。易惹血光之災，特別要注意遠離刀劍等利器，以防止刺傷或割傷。月初感情易起風波，切勿玩弄感情，以免誤人誤己。

農曆七月（壬申月）

西曆二〇〇九年八月七日——九月六日

〇本月運勢曖昧，諸多變卦

這個月的運勢止跌回升，雖然略有起色，但形勢曖昧，反覆難測；工作進展諸多變卦，故仍需小心戒備，未可掉以輕心！在這段期間最重要的，是害人之心不可有，防人之心不可無！必須防備身邊那些披著羊皮的虎狼，以免無辜成為別人的犧牲品。財運似是而非，看似暢旺，其實卻暗湧潛伏，稍一不慎便會被吞陷沒頂。健康並無大礙，但晚上不要流連在外，慎防意外。感情若即若離，患得患失，強求無益。

農曆八月（癸酉月）

西曆二〇〇九年九月七日——十月七日

●本月吉星拱照，順水推舟

這個月的運勢如日中天，即使偶有困阻，亦可逢凶化吉，水到渠成！而且又會有貴人相助，如虎添翼！在這段期間最重要的，是必須積極地把握時機，順水推舟，自然可事半功倍，穩操勝券！若是猶豫不決，便會坐失良機而後悔莫及。財運大有起色，但切勿聽人慫恿而胡亂投資，因為很可能得不償失！健康良好，但必須小心照顧家中小孩的健康，切勿疏忽大意。感情生活多姿多采，但切勿太沉迷放縱。

農曆九月（甲戌月）

西曆二〇〇九年十月八日——十一月六日

●本月居安思危，持盈保泰

今年的八月及九月，是屬牛的人全年運勢最暢旺的兩個月，必須好好把握時機，千萬不可失諸交臂。工作進展暢順，而且很可能無心插柳柳成蔭，會有意外收獲！在這段期間最重要的，是切勿被勝利沖昏了頭腦，必須居安思危，及早考慮如何應付未來的種種考驗，有備則可無患。財運在月尾開始反覆滑落，投資及賭博必須懂得及時忍手。情緒亢奮，往往備受頭痛失眠困擾。感情特別豐富，慎防惹下一段孽緣。

農曆十月（乙亥月）
西曆二〇〇九年十一月七日——十二月六日

●本月情緒波動，慎防失控

這個月的運勢風雲變幻，形勢曖昧難測，而且會有小人落井下石，雪上加霜。工作方面將會出現諸多人事紛爭！在這段期間最重要的，是必須保持冷靜克制，警醒自己切勿誤中激將計，以免情緒失控而自亂陣腳，自招敗辱。這個月情緒波動甚大，喜怒無常，慎防因而令愛侶反感，以致感情出現裂痕。健康欠佳，必須盡量多休養生息，並需飽飯加衣，以免感染風寒。財星破損，正財及橫財均甚反覆，切勿強求。

農曆十一月（丙子月）
西曆二〇〇九年十二月七日——一〇年一月四日

○本月以柔制剛，出奇制勝

這個月的運勢略有起色，但仍有暗湧潛伏，故此切勿掉以輕心，以免陰溝裏翻船。工作方面仍會有諸多人事紛爭，明爭暗鬥，將平添不少變數！在這段期間最重要的，是切勿硬碰硬，以免兩敗俱傷！必須設法以柔制剛，四兩撥千斤，這樣才可出奇制勝，扭轉形勢。財星高照，正財收入增加，但橫財不利，切勿沉迷賭博。感情出現轉機，但切勿三心兩意，見異思遷。健康略有改善，仍需小心保養，慎勿過勞。

農曆十二月（丁丑月）
西曆二〇一〇年一月五日——二月三日

●本月遠離危險，安全第一

屬牛的人今年遇本命年，運勢低沉，不如意事將接連而來，諸多困阻；而尤以年尾為甚！必須小心戒備，以免猝不及防而潰不成軍，枉費整年心血！在這段期間最重要的，是除了小心處理工作，並需密切注意安全，盡可能遠離險境，切勿逞強，以免誤惹血光之災。健康欠佳，需密切注意飲食衛生，慎防腸胃受損。感情易起風波，慎防會有第三者介入。財星破損，將有不少額外開支，理財必須格外小心。

屬牛的趨吉避凶

十二生肖，無論流年運程是否吉利，均應知道如何去趨吉避凶，以便旺者得以錦上添花，而凶者則得以消災解禍！

以下將分為吉祥物、方位、顏色及吉數四個部份，提示屬牛的人如何去趨吉避凶。

在傳統的術數觀念中，宇宙萬物各有其相生相剋的特性，而那些對某個生肖特別有利之物，便是那個生肖的「吉祥物」。

擺放吉祥物在適宜的方位，可發揮其特有的生旺化煞作用，對改善流年運程大有幫助。

屬牛的人今年宜在南方，或在檯頭擺放一對以棕黃色石雕成的「春牛登高」來坐鎮。

（圖片提供：集雅軒文化有限公司）

偽冒劣品充斥　慎防受騙失效
詳情請閱 11、178 至 194 頁

春回大地，萬物正欣欣向榮，亦正是耕牛最活躍的大好光景。一對健壯的耕牛，踏著茂密的青草，在春光明媚之際踏上高崗，組成一幅不畏艱苦而奮勇向上的景象，喻意深刻！

屬牛的人今年遇正本命年，而且命宮中又有眾多凶星混雜，故此運勢凶多吉少！必須加倍努力，才可望衝出困境。若想化煞避凶，可擺放一對「春牛登高」作為流年吉祥物。

屬牛的人今年宜在屋中或房中的南方，擺放一對以棕黃色石雕成的春牛登高來坐鎮；或擺放在檯頭亦可！倘再隨身配戴棕色的春牛登高石墜作護身符，功效將更快更顯。

吉祥物因是以天然石塊雕刻，故此若有天然石紋是很自然的事，不足為慮！但若是在擺放過一段時間之後突有破損，這表示它曾以身擋災，原有功效已失，必須盡快更換替補。

必須一提的，是近年世界及中國各地均有很多不合規格的偽冒吉祥物充斥市場，令不少讀者受騙。其實，偽冒的吉祥物有如假藥一樣；假藥不能亂吃，假吉祥物當然亦不能亂擺！欲知如何能購買真貨，請看第十一及一七八頁便知詳情。

吉凶方位

屬牛的人今年的三個生旺吉方，是南方、西北及東南；若能把睡床、工作檯和沙發擺放在屋內這三個方位上，便可符合這生肖今年的風水趨吉之道，有助改善流年運程。

倘若未能如此，最少亦要把這三種最重要的家具避開西南及西方，以符合避凶之道。

以上所提出的吉凶方位，是純以生肖屬牛的人來計算；而與其它生肖無關，請勿混淆。

吉凶顏色

屬牛的人今年的生旺顏色是棕、黃及綠色；若能利用這些顏色來佈置房間或穿衣服，這會對改善流年運程將大有幫助。屬牛的人今年忌白色及橙色，最好能盡量避免使用。

吉數

屬牛的人今年的生旺數字是三及五。

出生年：
一九九八
一九八六
一九七四
一九六二
一九五〇
一九三八

戊寅年——一九九八年出生的人，今年學習情緒大為提高，容易吸收新知識，成績可突飛猛進！小心飲食，慎防食物中毒。

丙寅年——一九八六年出生的人，今年易與異性投緣，如魚得水，但切勿因而誤了事業前途。財星破損，必須謹慎理財。

甲寅年——一九七四年出生的人，今年工作得心應手，而又有貴人指引，很可能脫穎而出。紅鸞照命，可望結出情花愛果。

壬寅年——一九六二年出生的人，今年事業發展大有起色，若能堅持，定可勇闖高峰！但切忌恃才傲物，以免高處不勝寒。

庚寅年——一九五〇年出生的人，今年夫妻感情良好，家庭和順，但必須小心處理家庭財務。帶眼識人，慎防墮入圈套。

戊寅年——一九三八年出生的人，今年健康情況下滑，慎防心臟以及腸胃受損，記緊預防勝於治療。慎防盜賊及竊匪。

生肖屬虎(寅)的牛年運程

生肖屬虎的人，今年運勢吉凶參半，事業與感情大有進展，但財運及健康則未如理想，必須小心趨吉避凶！因有「太陽」照命，有如旭日初昇，陰霾晦氣一掃而空；故此若能堅持下去，困阻將可迎刃而解。事業方面，屬虎的人今年得心應手，而且會有貴人指引，若能避開小人糾纏，定可脫穎而出，邁上高峰！但需小心提防沿途陷阱，慎勿誤墮其中而前功盡廢！此外，今年切忌恃才傲物，以免眾叛親離而出現高處不勝寒的險境。財運方面，屬虎的人今年財星破損，慎防被人巧取豪奪，侵佔財物。屬虎的人今年健康欠佳，情緒緊張，慎防心臟以及腸胃受損，記緊預防勝於治療。感情方面，屬虎的人今年紅鸞照命，故此情投意合，如魚得水，可望結出情花愛果。

屬虎的青少年

今年學習情緒大為提高，吸收能力特強；故此若能專心向學，定可突飛猛進，名列前茅。今年會有恃才傲物的傾向，必須切戒，以免遭人孤立及故步自封。今年特別要注意飲食衛生，以免腸胃受損或食物中毒。

屬虎的婦女

今年夫妻感情良好，家庭關係亦大有改善；祇可惜健康欠佳，必須盡量鬆弛，爭取足夠休息睡眠，並需小心處理家庭財務。屬虎的少女，今年紅鸞照命，感情生活多姿多采，很可能共諧連理，締結良緣。

事業

屬虎的人今年工作方面，因有「太陽」吉星照命，有如旭日初昇，氣勢如虹，一切困阻均可迎刃而解；而且還會有貴人指引提攜，大可脫穎而出！今年工作進展暢順的月份，是農曆二月、四月、八月、十月及十一月，應好好把握時機奮發向上。今年工作較多阻滯的月份，是農曆正月、三月、五月、七月及九月，慎防陰溝裏翻船。

財運

屬虎的人今年財星破損，錢財易洩難聚，必須小心理財，切戒浪費，以免出現經濟危機；此外，並需慎防被人巧取豪奪，侵吞財物！今年財運低迷的月份，是農曆三月、五月、七月、九月以及十二月，應盡可能量入為出。今年財運較佳的月份，是農曆的二月、四月、八月及十一月，應好好珍惜時機開源節流，積穀防饑。

健康

屬虎的人今年健康欠佳，情緒緊張，心臟以及腸胃容易受損，必須小心保養，盡量鬆弛自己，以免身心俱疲而病倒。今年健康易出問題的月份，是農曆正月、三月、五月、七月及十二月。農曆二月慎防交通意外，四月則需防食物中毒。

感情

屬虎的人今年紅鸞照命，故此易與異性擦出感情火花，如魚得水，很可能結出情花愛果！但切勿太沉迷，以免有如燈蛾撲火而惹火焚身。今年感情進展良佳的月份，是農曆的正月、二月、四月、八月及十一月，好好珍惜時機緣份。

農曆正月（丙寅月）

西曆二〇〇九年二月四日——三月四日

○本月浮沉反覆，謀定而動

屬虎的人今年運勢反覆，吉凶參半；新春氣運陰沉，暗湧潛伏，故此宜守不宜攻，切勿輕舉妄動，以免後悔莫及！工作方面諸多變卦，而且又會有人造謠中傷！在這期間最重要的，是要三思而行，謀定而後動；千萬不可因恐落後而蠢蠢欲動，否則便會賠了夫人又折兵。財運反覆，橫財波動甚大，切勿貪勝不知輸。健康平平，盡量避免熬夜，以免體力透支過度而病倒。有機會結識一位動人的異性，情投意合。

農曆二月（丁卯月）

西曆二〇〇九年三月五日——四月三日

●本月春風得意，左右逢源

這個月因有吉星拱照，運勢故此大有起色，陰霾盡散，春光明媚，春風得意馬蹄疾，正可乘時一展身手。工作方面得心應手，事半功倍，而且會有無心插柳柳成蔭的意外收獲！在這段期間最重要的，是切忌得意忘形而盛氣凌人，以免招人妒忌而節外生枝，功敗垂成。感情豐富，易與異性投緣，左右逢源，但必須適可而止。健康良好，但月尾必須密切注意交通安全。財星高照，正財及橫財均有所獲，但切忌貪得無厭。

農曆三月（戊辰月）

西曆二〇〇九年四月四日——五月四日

●本月急轉直下，慎防侵吞

這個月因有「吞陷」凶星照命，故此運勢急轉直下，風狂雨暴，不如意事接踵而來，必須先有心理準備。工作壓力沉重，很可能勞碌奔波，但始終徒勞無功！在這段期間最重要的，是防人之心不可無，慎防有人會落井下石，陰謀取代！財星破損，非但要設法防止錢財外洩，而且還需慎防被人侵吞錢財。健康易出問題，慎防心肺出現毛病，盡速延醫診治。情緒波動偏激，容易與伴侶吵鬧爭執，盡量避免各走極端。

農曆四月（己巳月）

西曆二〇〇九年五月五日——六月四日

●本月貴人指引，如魚得水

這個月的運勢雖然並非大吉大利，但已大有起色，暴風雨過後，氣象一新。工作上的困阻一一消除，可以重新走上正軌；而且又會有貴人指引，可望脫穎而出！在這段期間最重要的，是切勿貪功，勿把一切功勞據為己有，以免引起眾人不滿，積怒於心而後患無窮。財星高照，但橫財反覆波動，切勿強求。健康良好，但月中必須密切注意飲食衛生，慎防發生食物中毒。感情甜蜜溫馨，可望結出情花愛果。

農曆五月（庚午月）

西曆二〇〇九年六月五日——七月六日

●本月易惹官非，慎防陷阱

這個月因有「晦氣」凶星出現在命宮中，顯示易惹官非；故此必須循規蹈矩，千萬不可行險僥倖，否則法網難逃。工作會有諸多陷阱，很可能以名利作誘餌！在這段期間最重要的，是要把持得住，切勿受名利所誘而作奸犯科，否則一失足成千古恨，悔恨莫及。財運欠佳，切勿借貸！並要小心提防墮入金錢圈套，人財兩失。情神緊張，健康不良，慎防心臟出現問題。與友人及伴侶開玩笑切勿太過份，以免樂極生悲。

農曆六月（辛未月）

西曆二〇〇九年七月七日——八月六日

○本月強敵環伺，不進則退

這個月的運勢雖略有起色，但仍會有暗湧潛伏，故此必須小心注意不尋常的變動，及早作好準備，有備則可無患。工作方面強敵環伺，在旁虎視眈眈！在這段期間最重要的，是盡量物色可靠的合作伙伴，團結就是力量，足以令身邊的虎狼知難而退；最忌單打獨鬥，獨力難支。財運雖略有改善，但仍會有暗湧潛伏，慎防受騙。健康平平，乏善足陳。感情轉趨平淡，很可能出現冷戰局面，盡量互諒互讓。

農曆七月（壬申月）

西曆二〇〇九年八月七日——九月六日

●本月諸多困阻，變通求存

這個月的運勢反覆向下，崎嶇不平，必須步步為營，以免失足而摔得頭破血流，一蹶不振。工作方面出現諸多困阻，而且又會有諸多人事紛爭！在這段期間最重要的，是要懂得窮則變、變則通，懂得變通才可在逆境中求存，否則便會慘遭淘汰。財運依然低沉不振，因有「劫殺」凶星照命，故此必須鎖好門窗，錢財切勿露眼，以免盜劫之災。健康欠佳，慎防積勞成疾。感情容易出軌，需防有如燈蛾撲火而焚身。

農曆八月（癸酉月）

西曆二〇〇九年九月七日——十月七日

●本月福至心靈，順水推舟

這個月因有「太陽」吉星出現在命宮中，故此陰霾一掃而空，晴空萬里，正是奮發向上的大好時機！工作福至心靈，靈感及創意源源不絕！在這段期間最重要的，是要懂得因勢利導，順水推舟，自可收事半功倍之效！若不打鐵趁熱，過後便會有時不我予之嘆。財星高照，財源廣進；大可投資創業，有利可圖。健康大有起色，但切勿沉迷酒色，以免酒色傷身。感情多姿多采，甜蜜溫馨，正是談婚論嫁的良機。

農曆九月（甲戌月）

西曆二〇〇九年十月八日——十一月六日

●本月易惹小人，獨木難支

這個月因為命宮中有眾多凶星混雜，故此運勢一落千丈，很多意想不到的困阻將接連出現，必須小心面對，及早解決。工作進展停滯，而且會有小人糾纏不清！在這期間最重要的，是設法改善人際關係，慎防眾叛親離，被人孤立而出現獨木難支的困境。屬虎的人今年財運欠佳，這個月財星破損，理財必須特別小心，以免出現經濟危機。健康尚可，但需慎防摔倒受傷。千萬不可冷落愛侶，以免被小人有機可乘。

農曆十月（乙亥月）
西曆二〇〇九年十一月七日——十二月六日

○本月峰迴路轉，漸入佳境

屬虎的人年尾三個月的運勢較暢旺，這個月否極泰來，運勢反覆向上；峰迴路轉之下，漸入佳境。工作方面的進展是先難後易，而且又會有貴人指引！在這段期間最重要的，是處理工作必須實事求是；花言巧語的功效難以持久，反而惹人反感，信譽盡失。財運尚可，月中會有曇花一現的暢旺，但月尾便會無以為繼。健康雖然略有起色，但出門在外必須慎防感染風寒。切勿對愛侶說謊，否則後果將會相當嚴重。

農曆十一月（丙子月）
西曆二〇〇九年十二月七日——一〇年一月四日

●本月紅鸞高照，喜氣洋洋

這個月因有「紅鸞」吉星照命，故此運勢大吉大利，喜氣洋洋。工作進程甚為暢順，銷售及生產大幅增加，而且訂單將源源不絕！在這段期間最重要的，是不要被勝利沖昏了頭腦而不自量力，也不要在喜悅中而輕易許下諾言，以免招來無窮後患。財星高照，這是屬虎的人今年財運最暢旺的月份之一。紅鸞照命，情投意合，喜氣洋洋，可望結出情花愛果。人逢喜事精神爽，心曠神怡，健康大有起色。

農曆十二月（丁丑月）
西曆二〇一〇年一月五日——二月三日

○本月小心保養，積穀防饑

屬虎的人今年運勢反覆，年尾似是而非，吉中帶凶，故此千萬不可操諸過急，以免欲速不達而自招敗辱。工作進展是平穩有餘，但可惜突破不足！在這段期間最重要的，是凡事必須順其自然，時機未至則不宜強求，以免出現反效果。健康易出問題，除了要注意心臟和腸胃保養，並要有足夠睡眠休息，以免身心勞損而後患無窮。財運平平，開支既多且大，需及早積穀防饑。有朋自遠方來，把臂言歡，其樂融融。

屬虎的趨吉避凶

十二生肖，無論流年運程是否吉利，均應知道如何去趨吉避凶，以便旺者得以錦上添花，而凶者則得以消災解禍！

以下將分為吉祥物、方位、顏色及吉數四個部份，提示屬虎的人如何去趨吉避凶。

吉祥物

在傳統的術數觀念中，宇宙萬物各有其相生相剋的特性，而那些對某個生肖特別有利之物，便是那個生肖的「吉祥物」。

擺放吉祥物在適宜的方位，可發揮其特有的生旺化煞作用，對改善流年運程大有幫助。

屬虎的人今年宜在南方，或在床頭擺放一對以墨綠花石雕成的「年年同心」來生旺。

（圖片提供：集雅軒文化有限公司）

偽冒劣品充斥　慎防受騙失效
詳情請閱 11、178 至 194 頁

鴛鴦，一直被視為愛情堅貞的禽鳥，雙棲雙宿，至死不肯分離。「蓮」與「年」同音，故此兩片蓮葉，是年年的象徵。一對鴛鴦戲水同游，穿梭在蓮葉之間，組成年年同心的吉兆。

屬虎的人，今年運勢吉凶參半，最忌眾叛親離以致獨力難支！因有紅鸞照命，故此今年感情豐富，可望結出情花愛果。若想趨吉避凶，可擺放一對「年年同心」作為流年吉祥物。

屬虎的人今年宜在屋中或房中的南方，擺放一對以墨綠花石雕成的年年同心來生旺；或擺放在床頭亦可！倘再隨身配戴棕色的年年同心石墜作護身符，功效將更快更顯。

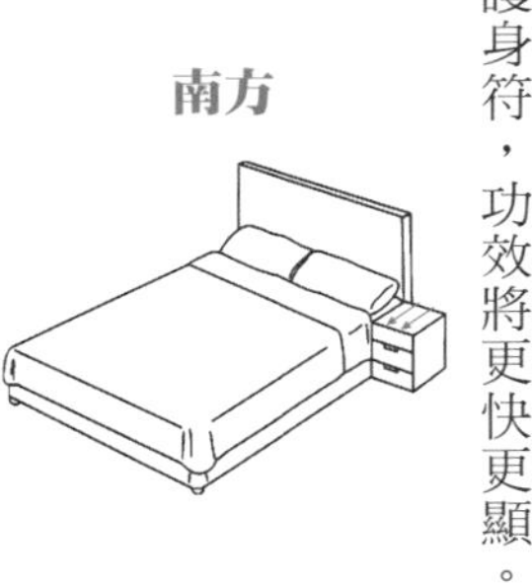

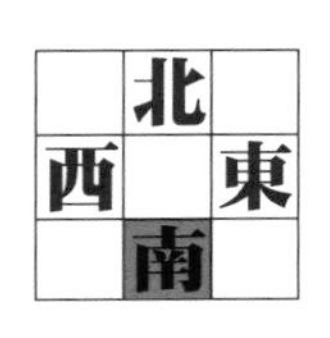

吉祥物因是以天然石塊雕刻，故此若有天然石紋是很自然的事，不足為慮！但若是在擺放過一段時間之後突有破損，這表示它曾以身擋災，原有功效已失，必須盡快更換替補。

必須一提的，是近年世界及中國各地均有很多不合規格的偽冒吉祥物充斥市場，令不少讀者受騙。其實，偽冒的吉祥物有如假藥一樣；假藥不能亂吃，假吉祥物當然亦不能亂擺！欲知如何能購買真貨，請看第十一及一七八頁便知詳情。

吉凶方位

屬虎的人今年的三個生旺吉方，是南方、西北及東北；若能把睡床、工作檯和沙發擺放在屋內這三個方位上，便可符合這生肖今年的風水趨吉之道，有助改善流年運程。

倘若未能如此，最少亦要把這三種最重要的家具避開西南及東方，以符合避凶之道。

以上所提出的吉凶方位，是純以生肖屬虎的人來計算；而與其它生肖無關，請勿混淆。

吉凶顏色

屬虎的人今年的生旺顏色是綠、黑及棕色；若能利用這些顏色來佈置房間或穿衣服，這會對改善流年運程將大有幫助。屬虎的人今年忌藍色及白色，最好能盡量避免使用。

屬虎的人今年的生旺數字是一及七。

兔

出生年：
一九九九
一九八七
一九七五
一九六三
一九五一
一九三九

己卯年——一九九九年出生的人，今年學習情緒低落，必須設法改正，以免遠落人後。循規蹈矩，遠離損友，切勿觸犯校規。

丁卯年——一九八七年出生的人，今年必須帶眼識人，以免慘被吞噬。感情複雜，波折重重，切勿感情用事而拖泥帶水。

乙卯年——一九七五年出生的人，今年工作進展枝節橫生，諸多口舌，必須全力以赴。開支頗多，很可能要破財擋災。

癸卯年——一九六三年出生的人，今年易犯官非，必須謹言慎行，奉公守法。身體健康尚無大礙，但需小心照顧長輩健康。

辛卯年——一九五一年出生的人，今年財星破損，投資容易損失，及早積穀防饑。勞碌奔波，但因小人阻撓，勞而無功。

己卯年——一九三九年出生的人，今年健康平平，幸而若能小心保養，尚無大礙。財運欠佳，橫財不利，慎防受騙破財。

生肖屬兔(卯)的牛年運程

生肖屬兔的人，今年因為命宮中凶星混雜，而又無吉星化解，故此今年運勢低沉不振，晦氣瀰漫；必須步步為營，以免一失足成千古恨！最需要注意的，是謹言慎行，以免招來橫禍或誤惹官非。事業方面，屬兔的人今年枝節橫生，而且諸多口舌是非，必須小心處理，全力以赴，否則很可能徒勞無功！並需記緊帶眼識人，及早識破身邊那些披著羊皮的虎狼，以免慘被吞噬。財運方面，屬兔的人今年財運低沉不振，投資容易損手，及早積穀防饑為宜，以免出現經濟危機；此外，秋季很可能需要破財擋災。屬兔的人今年健康尚無大礙，但必須小心照顧家中長輩的健康，切勿掉以輕心。感情方面，屬兔的人今年感情複雜，波折重重，取捨兩難；切忌太感情用事而誤己誤人！

屬兔的青少年

今年學習情緒較為低落，容易分心；必須努力加以改正，以免考試名落孫山而後悔莫及！今年易受損友誘惑，所以交友需特別小心，以免誤入歧途。遵守老師及家長的訓導，循規蹈矩，切勿觸犯校規。

屬兔的婦女

今年家人之中會有諸多口舌是非，必須謹口慎言，盡可能遠離是非。今年財運欠佳，慎防受騙破財！及早儲蓄為宜。屬兔的少女，今年感情波動甚大，若即若離，忽進忽退，必須冷靜地去面對，切勿太過執著。

事業

屬兔的人今年命宮中凶星眾多，而又無吉星化解，故此工作形勢晦氣瀰漫，千萬不可輕舉妄動！並需帶眼識人，以免被人侵吞而徒勞無功。今年工作進展諸多困阻的月份，是農曆的正月、四月、五月、七月、八月及十一月，在這幾個月期間宜守不宜攻。今年工作進展較為暢順的月份，是農曆三月、六月及十月，好好把握時機奮發向上。

財運

屬兔的人今年財運低沉不振，不利投資及賭博，故此應著眼如何節流而非開源，還是及早儲蓄以積穀防饑為宜。今年財運低迷的月份，是農曆正月、四月、七月、八月及十一月。農曆四月及九月慎防受騙破財，農曆十一月則防盜劫之災。今年財運較佳的月份，是農曆三月、六月、十月及十二月，應好好把握時機多儲金錢，以準備不時之需。

健康

屬兔的人今年健康平平，幸而若能小心保養，尚無大礙；但因有「披頭」凶星照命，必須照顧長輩的健康，切勿掉以輕心。今年健康易出問題的月份，是農曆四月、七月及十一月；農曆二月、六月、八月及九月，必須注意安全第一，慎防血光之災。

感情

屬兔的人今年感情複雜，感情道路絕不平坦；往往感到取捨兩難，必須冷靜地去處理，切勿太感情用事而誤己誤人。今年感情易出問題的月份，是農曆四月、五月、七月、八月及十一月。今年感情較佳的月份，是農曆三月、九月及十月。

農曆正月（丙寅月）

西曆二〇〇九年二月四日——三月四日

●本月財星破損，照顧長輩

屬兔的人今年命宮中凶星混雜，故此流年運勢欠佳，必須加倍努力，才可望扭轉劣勢。年初運勢低沉，切勿輕舉妄動，以免出師不利而折損元氣！在這段期間最重要的，是小心謹慎理財，以免因財星破損而錢財大量流失，出現經濟周轉危機。工作進展節外生枝，宜守不宜攻；暫時應不求有功，但求無過，穩打穩紮才不會被淘汰。健康並無大礙，但必須小心照顧長輩健康，恐有孝服。感情平淡，乏善可陳。

農曆二月（丁卯月）

西曆二〇〇九年三月五日——四月三日

○本月保持低調，切勿犯險

這個月的運勢反覆向好，在迂迴曲折之中漸入佳境，但仍會存有不少變數，必須保持戒備，以免功虧一簣。工作方面頗多更改變動，必須冷眼旁觀，看清形勢！在這段期間最重要的，是必須盡量保持低調，切勿隨便表態，放言高論，以免誤惹禍根而後患無窮。這個月易惹血光之災，必須密切注意安全，切勿逞強而犯險！財運大有起色，但橫財波動甚大，必須懂得適可而止。易與異性擦出火花，祇可惜有緣無份。

農曆三月（戊辰月）

西曆二〇〇九年四月四日——五月四日

●本月運勢暢旺，策劃未來

這個月因有吉星拱照，故此運勢暢旺！工作困阻至此將一掃而空，人事紛爭亦將逐漸消除，正是大舉出動，大展鴻圖的難得時機！在這段期間最重要的，是要看清形勢，好好釐定未來的發展路向，策劃應如何取長補短，如何應付日後的種種困阻；有備無患，這將會對今年的發展大有裨益！財星高照，投資獲利，可考慮投資創業或購買物業。健康大有起色，但需防酒色傷身。感情生活多姿多采，如魚得水。

農曆四月（己巳月）
西曆二〇〇九年五月五日——六月四日

●本月帶眼識人，慎防受騙

這個月的運勢急轉直下，有如突然而來的狂風驟雨，很可能一發不可收拾！若不小心戒備，便將會猝不及防而一蹶不振！在這段期間最重要的，是必須帶眼識人，及早識破身邊那些披著羊皮的虎狼，以免被人欺騙出賣而損失慘重。財星破損，除了慎防受騙破財，並需小心檢查帳目，以免錢財大量外洩而出現經濟危機。這個月易被病魔乘虛而入，必須戒吃生冷不潔食物。感情進展有如逆水行舟，易退難進。

農曆五月（庚午月）
西曆二〇〇九年六月五日——七月六日

○本月口舌招尤，沉默是金

這個月的運勢略為回穩，但工作困阻尚未完全消除，人事紛爭亦未完全平息下來；稍一處埋不善，便很可能是非纏身！在這期間最重要的，是必須三緘其口，切勿胡亂批評指責別人，慎防隔牆有耳而口舌招尤，後患無窮！工作方面必須奉公守法，切勿自作聰明而亂鑽法律空子，否則必定法網難逃。財運先衰後盛，月中開始出現轉機，月尾會有中獎的幸運。感情若即若離，有如鏡花水月而難以捉摸。

農曆六月（辛未月）
西曆二〇〇九年七月七日——八月六日

●本月事半功倍，居安思危

這個月的運勢暢順，很多積壓已久的工作難題至此均一一消除；處事得心應手，事半功倍，而人事紛爭亦將暫告一段落！在這段期間最重要的，是切勿被暫時的順境沖昏頭腦，必須要有居安思危的意識，及早考慮為未來的發展作出最壞的打算，作出最好的準備。財星高照，正財會有額外收入，而橫財亦會略有所獲，但切勿貪得無厭。感情特別豐富，但需防多情反被多情誤。健康良好，但需慎防水險。

農曆七月（壬申月）
西曆二〇〇九年八月七日——九月六日

●本月急劇逆轉，毛病百出

屬兔的人今年的旺勢總是難以持續，上個月的旺運至此便無以為繼，急轉直下；很多潛藏已久的毛病逐漸浮現！在這段期間最重要的，是必須勇於面對現實，及早解決困阻；切勿採取退避的鴕鳥政策，因為愈拖延便會愈惡化下去。在工作及感情方面，必須有諾必踐，切勿失信於人，否則必會後悔莫及！身體情況虛弱，慎防病從口入！此外，並需密切注意家中老人的健康。財星破損，及早積穀防饑為宜。

農曆八月（癸酉月）
西曆二〇〇九年九月七日——十月七日

●本月每下愈況，破財擋災

今年的農曆七月及八月，是屬兔的人全年運勢最低沉反覆的期間，必須警惕戒備，希望能平安渡過困境。工作進展每下愈況，並會有小人乘機落井下石。因有「囚獄」凶星照命，稍一不慎便會招惹官非，很可能要破財擋災，故此必須謹言慎行，自求多福。財運依然低沉不振，需盡量避免借貸，以免泥足深陷。健康雖略有起色，但仍需小心注意家居安全，密切注意防火及防盜。感情易生誤會，必須多些溝通瞭解。

農曆九月（甲戌月）
西曆二〇〇九年十月八日——十一月六日

○本月勞碌奔波，量力而為

這個月的運勢雖非大好，但較諸上兩個月已算相當不俗。工作壓力沉重，勞碌奔波，倘稍一處理失當，便很可能徒勞無功！在這段期間最重要的，是要量力而為，切勿喜大好功而不自量力，以免尾大不掉而把自己壓垮！工作應由眾人同心協力來分擔，或讓有能者居之，切勿獨攬大權而誤己誤人！財運略有起色，但月初需防誤墮金錢圈套。健康良好，但月中晚上出門需慎防交通意外。感情風波平息，應好好培養感情。

農曆十月（乙亥月）

西曆二〇〇九年十一月七日——十二月六日

●本月同聲相應，眾志成城

這個月的運勢大有起色，有如暴風雨後的陽光，充滿清新朝氣。工作壓力消除，可以重新走上正軌，正是奮發有為的時機！在這段期間最重要的，是盡量避免令自己陷於孤立，以免獨木難支！必須爭取同事及客戶的支持，眾志成城才可屹立不倒。這個月財運暢旺，正財及橫財均會大有收獲，但月尾財運急劇逆轉，必須及時收手。健康良好，但需防摔倒受傷。社交應酬繁忙，人緣甚佳，很有機會邂逅一位動人的異性。

農曆十一月（丙子月）

西曆二〇〇九年十二月七日——一〇年一月四日

●本月晦氣瀰漫，內外交煎

這個月因有眾多凶星混雜在命宮中，故此運勢急轉直下，晦氣瀰漫，人事紛爭接連而起；對內對外均備受掣肘及攻擊，身心俱疲！在這段期間最重要的，是知己知彼，處變不驚；首先要評估衡量自己以及對手的長短優劣，然後冷靜地想出應對辦法，這樣才可避免被對手乘亂擊倒。財星破損，錢財易洩；月初特別要小心看管財物，以免有盜劫之災。健康尚無大礙，但需小心照顧家人健康。感情走進死胡同，必須冷靜處理。

農曆十二月（丁丑月）

西曆二〇一〇年一月五日——二月三日

〇本月心無旁騖，杜漸防微

屬兔的人今年運勢欠佳，諸多阻滯，幸而年尾運勢有所改善，若肯奮發向上，肯定可以收復前失。工作仍有困阻，未能一氣呵成，並有小人在旁虎視眈眈！在這期間最重要的，是必須全心全意，心無旁騖投入工作；看清自己破綻所在，及早彌補，這樣才可扭轉局勢，穩操勝券！財星高照，財運大有起色，可作多元化投資。健康良好，但口腔及牙齒易出問題，必須小心保養。感情乍暖還寒，患得患失而徒自傷神。

屬兔的趨吉避凶

十二生肖，無論流年運程是否吉利，均應知道如何去趨吉避凶，以便旺者得以錦上添花，而凶者則得以消災解禍！

以下將分為吉祥物、方位、顏色及吉數四個部份，提示屬兔的人如何去趨吉避凶。

吉祥物

在傳統的術數觀念中，宇宙萬物各有其相生相剋的特性，而那些對某個生肖特別有利之物，便是那個生肖的「吉祥物」。

擺放吉祥物在適宜的方位，可發揮其特有的生旺化煞作用，對改善流年運程大有幫助。

屬兔的人今年宜在西北方，或在床頭擺放一對以紅色石雕成的「喜氣洋洋」來催旺。

（圖片提供：集雅軒文化有限公司）

偽冒劣品充斥　慎防受騙失效
詳情請閱 11、178 至 194 頁

喜氣洋洋

喜鵲，一直被視為喜樂幸福的象徵，所以甚受歡迎。羊與洋同音，所以兩隻羊即是洋洋的象徵。一對在巢中孵蛋的喜鵲，配上一對代表如意吉祥的羊，組合而成喜氣洋洋的吉祥景象。

屬兔的人，今年命宮中凶星混雜，而又無吉星化解，故此運勢低沉不振，而且易惹官非，必須擺放吉祥物來沖喜。若想化煞生旺，可擺放一對「喜氣洋洋」作為流年吉祥物。

屬兔的人今年宜在屋中或房中的西北，擺放一對以紅色石雕成的喜氣洋洋來催旺；或擺放在床頭亦可！倘再隨身配戴棕色的喜氣洋洋石墜作護身符，功效將更快更顯。

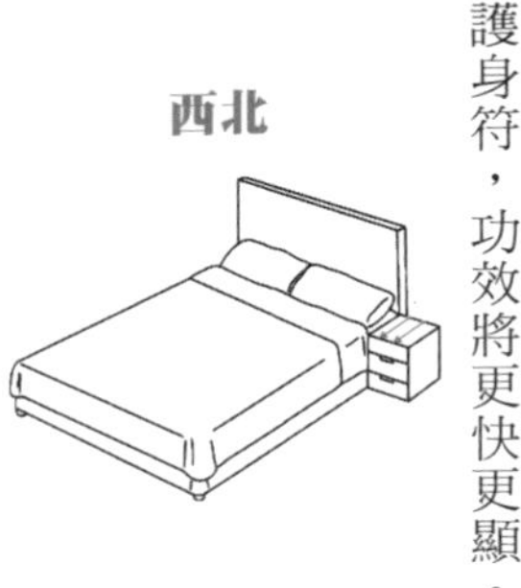

吉祥物因是以天然石塊雕刻，故此若有天然石紋是很自然的事，不足為慮！但若是在擺放過一段時間之後突有破損，這表示它曾以身擋災，原有功效已失，必須盡快更換替補。

必須一提的，是近年世界及中國各地均有很多不合規格的偽冒吉祥物充斥市場，令不少讀者受騙。其實，偽冒的吉祥物有如假藥一樣；假藥不能亂吃，假吉祥物當然亦不能亂擺！欲知如何能購買真貨，請看第十一及一七八頁便知詳情。

吉凶方位

屬兔的人今年的三個生旺吉方，是西北、南方及東北；若能把睡床、工作檯和沙發擺放在屋內這三個方位上，便可符合這生肖今年的風水趨吉之道，有助改善流年運程。

倘若未能如此，最少亦要把這三種最重要的家具避開西方及北方，以符合避凶之道。

以上所提出的吉凶方位，是純以生肖屬兔的人來計算；而與其它生肖無關，請勿混淆。

吉凶顏色

屬兔的人今年的生旺顏色是紅、棕及黃色；若能利用這些顏色來佈置房間或穿衣服，這會對改善流年運程將大有幫助。屬兔的人今年忌灰色及藍色，最好能盡量避免使用。

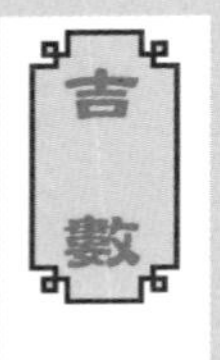

屬兔的人今年的生旺數字是六及八。

龍

出生年：
二〇〇〇
一九八八
一九七六
一九六四
一九五二
一九四〇

庚辰年——二〇〇〇年出生的人，今年學習情緒易受別人影響，必須遠離損友，以免近墨者黑。注意衛生，慎防喉及肺受損。

戊辰年——一九八八年出生的人，今年感情恩怨糾纏不清，切勿因兒女私情而耽誤大好前程。提防小人，慎防墮入圈套。

丙辰年——一九七六年出生的人，今年工作矛盾頻生，切勿針鋒相對，以免兩敗俱傷。橫財不利，切勿借貸，以免泥足深陷。

甲辰年——一九六四年出生的人，今年勞碌奔波，工作壓力沉重，慎防肺肝出現毛病。財星破損，錢財易洩，慎防入不敷支。

壬辰年——一九五二年出生的人，今年必須懂得保護自己，以免被人掠奪成果。隨機應變，切勿墨守成規而慘遭淘汰。

庚辰年——一九四〇年出生的人，今年易犯小人，必須以退為進，退一步即海闊天空。飽飯加衣，慎防感染風寒而後患無窮。

生肖屬龍(辰)的牛年運程

生肖屬龍的人，今年運勢曖昧，似是而非，故此必須提高警惕，慎防突然而來的暴風雨，以免猝不及防而慘被淘汰！最需要注意的，是小心提防小人，慎防墮入圈套中，以致身敗名裂。事業方面，屬龍的人今年勞碌奔波，但很可能被人掠奪成果，若不懂得保護自己，很可能徒勞無功！若有矛盾衝突，盡可能以柔制剛，千萬不可針鋒相對，以免兩敗俱傷。財運方面，屬龍的人今年財運差強人意，會有很多意想不到的額外開銷，慎防入不敷支；此外，盡量避免借貸，以免泥足深陷而後患無窮。健康方面，屬龍的人今年肺肝易出問題，必須小心保養，秋冬記緊飽飯加衣，慎防感染風寒。感情方面，屬龍的人今年感情糾纏不清，欲斷難斷，慎防因兒女私情而耽誤了大好前程。

屬龍的青少年

今年學習情緒易受別人影響，故此必須遠離損友，以免學習分心而成績大幅倒退。今年易與同學朋友爭拗衝突，切勿針鋒相對，以免兩敗俱傷。今年健康欠佳，必須密切注意呼吸系統的保護條理，慎防肺肝受損。

屬龍的婦女

今年易犯小人，故此必須懂得保護自己，以免成為犧牲品！今年家庭支出頗多，很可能入不敷支；並需慎防感染風寒。屬龍的少女，今年感情複雜多變，以致情緒波動甚大；但必須公私分明，切勿因而耽誤公事。

事業

屬龍的人今年運勢曖昧，晦氣瀰漫，故此工作進展遲緩；勞碌奔波，但往往徒勞無功！而且今年易犯小人，切勿針鋒相對，以免兩敗俱傷。今年工作進展較多阻滯的月份，是農曆二月、三月、四月、八月、九月及十二月，在這幾個月期間必須三思而行，謀定而後動。今年工作進展較為暢順的月份，是農曆正月、七月及十一月。

財運

屬龍的人今年財運差強人意，收入雖然尚算平穩，但會有很多意想不到的開支，所以理財需格外小心，以防入不敷支。今年財運低迷的月份，是農曆二月、四月、八月、九月及十二月，在這幾個月期間，正財及橫財俱不宜憧憬。今年財運較佳的月份，是農曆的正月、七月、十月及十一月，應好好把握時機以開源節流。

健康

屬龍的人今年健康狀況欠佳，肝肺易出問題，必須小心保養，慎勿過勞！今年健康易出問題的月份，是農曆的二月、四月、五月及九月。因有「勾絞」等凶星照命，易惹血光之災；農曆二月、六月及八月，必須密切注意安全第一，慎防意外。

感情

屬龍的人今年感情複雜多變，欲拒還迎，欲斷難斷，必須理智地處理；切勿執迷不悟，以免失魂落魄而耽誤了大好前程。今年感情易出問題的月份，是農曆的正月、二月、四月、六月、九月及十二月，在這幾個月期間必須特別小心維繫感情。

農曆正月（丙寅月）

西曆二〇〇九年二月四日——三月四日

●本月運勢暢順，迎春接福

屬龍的人今年運勢雖然乏善足陳，但新春期間因有吉星拱照，故此正是大展鴻圖的良機！工作得心應手，並獲得各方支持，左右逢源！在這段期間最重要的，是盡量吸收多些與工作有關的專業知識，努力充實自己，這樣才可屹立不倒。這個月財星高照，正財收入豐足，而新春小注怡情，很可能有意外收獲。健康良好，但切戒暴飲暴食，以免腸胃受損。感情錯縱複雜，千萬不可意氣用事，以免誤己誤人。

農曆二月（丁卯月）

西曆二〇〇九年三月五日——四月三日

●本月急轉直下，慎防圈套

這個月因有「貫索」凶星照命，故此運勢急劇逆轉，必須提高警惕，以防突然而來的暴風雨侵襲。工作進展一波三折，或甚至停滯不前！在這段期間最重要的，是切勿輕信別人，必須懂得保護自己，慎防墮入別人的圈套。財星破損，錢財易洩；切戒貪婪，以免因貪而變貧。健康易出問題，除了要小心保養之外，並需慎防觸電或從高處墮下受傷。感情若即若離，卻又難捨難分，切勿因一時之氣而誤鑽入牛角尖。

農曆三月（戊辰月）

西曆二〇〇九年四月四日——五月四日

○本月暗湧潛伏，緊守崗住

這個月的運勢略有起色，但暴風雨過後仍有餘波未了，故此切勿掉以輕心。工作壓力仍在，人事紛爭又此起彼落，疲於應付！在這段期間最重要的，是暫時需按兵不動，緊守崗位，先求不敗，然後再除圖後計！千萬不可輕舉妄動。感情出現轉機，但倘若缺乏溝通諒解，死結依然未可解除。健康大有起色，應保持良好的生活習慣，早睡早起，才是長久的健康之道。財運反覆，正財尚可，但橫財則切勿強求。

農曆四月（己巳月）
西曆二〇〇九年五月五日——六月四日

●本月凶星混雜，勞而無功

這個月因有眾多凶星混雜在命宮中，故此運勢風狂雨暴，不如意事將接連而來，必須先有心理準備，以免猝不及防而臨時手足無措。勞碌奔波，壓力沉重，但很可能勞而無功！在這段期間最重要的，是要忍辱負重，面對挑釁及種種挑剔指責，切勿隨便動氣而以牙還牙，以免小不忍而亂大謀。財星破損，很可能破財擋災！肝肺易出問題，必須小心保養，千萬不可等閒視之。感情出現裂痕，需及早小心維繫修補。

農曆五月（庚午月）
西曆二〇〇九年六月五日——七月六日

○本月欲速不達，切戒急進

這個月的運勢平穩有餘，但突破不足；但比較上個月已算大有起色。工作雖似略有進展，祇可惜進展有限！在這段期間最重要的，是要培養耐心，需知道成功之路並不是一蹴即就的！在時機尚未成熟之前，必須耐心等待，養精蓄銳，務求一擊即中。財運平淡，乏善可陳，幸而若能小心理財，經濟尚不會出現問題。辛勤工作之餘，必須有充足休息，慎防工作過勞而積勞成疾。公私分明，切勿因兒女私情而誤了大好前程。

農曆六月（辛未月）
西曆二〇〇九年七月七日——八月六日

○本月鏡花水月，難以捉摸

這個月的運勢反覆向好，但仍有些拖泥帶水之勢；工作進展往往節外生枝，未能一氣呵成。很可能有些機會降臨，但切勿高興過早！在這段期間最重要的，是首先要做好原來的工作，需心無旁騖才有成功之望；切勿分心去兼顧一些尚未成熟的項目。雖然不斷有異性出現在身邊，但可惜有如鏡花水月，可望而不可即，難以捉摸。財運似是而非，幸而月尾將出現轉機。健康雖有起色，但需慎防水險，安全第一。

農曆七月（壬申月）
西曆二〇〇九年八月七日——九月六日

●本月以柔制剛，事半功倍

這個月的運勢暢順，有如秋風吹爽，氣象煥然一新。工作方面大有進展，若能全力以赴，很可能有意外收獲；但仍會受人事紛爭困擾！在這期間最重要的，是要懂得以柔制剛，以退為進，肯退讓一步即可海闊天空，事半功倍。財運大有起色，投資有利可圖，橫財亦不俗，但月尾則變得沉浮反覆，切勿沉迷不肯收手。健康良好，但戒之在鬥，以免因爭執打鬥而受傷。感情較為穩定，但切忌隱瞞欺騙。

農曆八月（癸酉月）
西曆二〇〇九年九月七日——十月七日

●本月錢財易洩，慎防侵吞

這個月的運勢一瀉千里，不如意事將接踵而來，必須站穩腳跟，切勿輕舉妄動，以免一失足便根基動搖。工作方面諸多變卦，所以在洽談期間、以及簽約之時必須格外小心謹慎，慎防其中有詐。財星破損，錢財易洩！在這段期間最重要的，是理財必須特別小心，設法及時堵塞財政上的漏洞，並需防止被人侵吞財物而枉費心血。健康並無大礙，但要密切注意交通安全。這個月很可能發展一段新戀情。

農曆九月（甲戌月）
西曆二〇〇九年十月八日——十一月六日

●本月形勢曖昧，明哲保身

這個月的運勢反覆，並無多大起色，風雨晦暝，陰霾密佈，形勢甚不明朗。工作仍會有諸多困阻，而且又易犯小人，舉步維艱！在這段期間最重要的，是遠離是非圈，保持中立低調，明哲保身，以免成為冷戰的犧牲品。財運波動甚大，投資及賭博的風險甚高，暫時忍手為宜，以免血本無歸。健康並無多大改善，必須密切注意飲食衛生，慎防肝肺受損。這個月難與異性投緣，戀情很可能無疾而終，空留回憶。

農曆十月（乙亥月）
西曆二〇〇九年十一月七日——十二月六日

○本月當機立斷，積穀防饑

這個月的運勢反覆向好，月初將會有不少阻滯；但月中開始出現轉機，必須好好把握時機來收復前失。工作進展出現歧路，面臨抉擇！在這段期間最重要的，是要當機立斷，認清形勢便需盡快作出決定，猶豫不決祇會自招敗辱。財運轉趨平穩，但仍需小心理財，切勿浪費；及早儲蓄以備不時之需為宜。健康略有起色，但必須注意飽飯加衣，慎防感染風寒。切勿冷落愛侶，需要適當地表示心意以維繫感情。

農曆十一月（丙子月）
西曆二〇〇九年十二月七日——一〇年一月四日

●本月時來運轉，實事求是

這個月的運勢突趨暢旺，是今年難得的大展鴻圖的良機，許多停滯不前的項目至此會有突破性的發展，而且會獲得廣泛性的支持！在這段期間最重要的，是不要被勝利沖昏頭腦，必須客觀檢討自己實力，冷靜分析當前及日後的形勢，實事求是，這樣才可經得起考驗。健康良好，但需戒吃生冷食物，並需慎防酒色傷身。財星高照，投資獲利，但橫財則不宜憧憬。感情生活多姿多采，但切勿太沉迷而耽誤了公事。

農曆十二月（丁丑月）
西曆二〇一〇年一月五日——二月三日

●本月諸多是非，慎防失控

屬龍的人今年運勢欠佳，年尾的運勢大幅滑落，諸多阻滯，必須小心戒備，以免功虧一簣而前功盡廢。這個月特多口舌是非，煩不勝煩，以致工作進展亦大受影響！在這段期間最重要的，是凡事切勿斤斤計較，愈計較便愈糾纏不清，冤冤相報祇會落得兩敗俱傷！感情方面亦是如此，倘若不能互相諒解，便乾脆及早了斷，拖延下去很可能失控。財星破損，及早積穀防饑為宜。健康尚可，但需慎防感染風寒。

屬龍的趨吉避凶

龍

十二生肖，無論流年運程是否吉利，均應知道如何去趨吉避凶，以便旺者得以錦上添花，而凶者則得以消災解禍！

以下將分為吉祥物、方位、顏色及吉數四個部份，提示屬龍的人如何去趨吉避凶。

吉祥物

在傳統的術數觀念中，宇宙萬物各有其相生相剋的特性，而那些對某個生肖特別有利之物，便是那個生肖的「吉祥物」。

擺放吉祥物在適宜的方位，可發揮其特有的生旺化煞作用，對改善流年運程大有幫助。

屬龍的人今年宜在東南，或在檯頭擺放一對以棕紅色石雕成的「虎兔呈祥」來坐鎮。

（圖片提供：集雅軒文化有限公司）

偽冒劣品充斥　慎防受騙失效
詳情請閱 11、178 至 194 頁

虎兔呈祥

寅屬虎，而卯屬兔；在中國傳統術數之中，有寅卯辰三合之說，故此屬辰的龍，與虎及兔形成三合之局，三者合一將可無堅不摧。一對虎及兔守護著辟邪明珠，組成虎兔呈祥的吉兆。

屬龍的人，今年運勢曖昧，似是而非，必須慎防小人！又因有勾絞及卒暴凶星照命，故需慎防墮入圈套而損失慘重。若想化煞，可擺放一對「虎兔呈祥」作為流年吉祥物。

屬龍的人今年宜在屋中或房中的東南，擺放一對以棕紅色石雕成的虎兔呈祥來坐鎮；或擺在檯頭亦可！倘再隨身配戴棕色的虎兔呈祥石墜作護身符，功效將更快更顯。

吉祥物因是以天然石塊雕刻，故此若有天然石紋是很自然的事，不足為慮！但若是在擺放過一段時間之後突有破損，這表示它曾以身擋災，原有功效已失，必須盡快更換替補。

必須一提的，是近年世界及中國各地均有很多不合規格的偽冒吉祥物充斥市場，令不少讀者受騙。其實，偽冒的吉祥物有如假藥一樣；假藥不能亂吃，假吉祥物當然亦不能亂擺！欲知如何能購買真貨，請看第十一及一七八頁便知詳情。

吉凶方位

屬龍的人今年的三個生旺吉方，是東南、東北及南方；若能把睡床、工作檯和沙發擺放在屋內這三個方位上，便可符合這生肖今年的風水趨吉之道，有助改善流年運程。

倘若未能如此，最少亦要把這三種最重要的家具避開西北及北方，以符合避凶之道。

以上所提出的吉凶方位，是純以生肖屬龍的人來計算；而與其它生肖無關，請勿混淆。

吉凶顏色

屬龍的人今年的生旺顏色是棕、紅及黃色；若能利用這些顏色來佈置房間或穿衣服，這會對改善流年運程將大有幫助。屬龍的人今年忌綠色及黑色，最好能盡量避免使用。

吉數

屬龍的人今年的生旺數字是四及六。

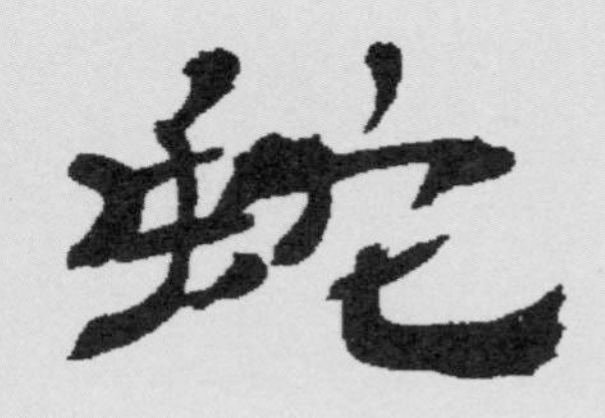

出生年：
二〇〇一
一九八九
一九七七
一九六五
一九五三
一九四一

辛巳年——二〇〇一年出生的人，今年讀書成績強差人意，必須加倍努力才可有成。易受口腔之患困擾，小心清潔牙齒。

己巳年——一九八九年出生的人，今年易與異性投緣，感情大有進展，但需防蜚短流長不絕。謹口慎言，以防口舌招尤。

丁巳年——一九七七年出生的人，今年工作備受掣肘，難以盡展所長，必須忍辱負重。正財收入豐厚，但橫財則不宜強求。

乙巳年——一九六五年出生的人，今年與客戶之間將會有不少矛盾，切勿意氣用事。保持低調，切勿張揚，以免招惹小人。

癸巳年——一九五三年出生的人，今年三台吉星照命，將令群醜辟易，轉禍為祥。財星高照，可考慮多元化投資，有利可圖。

辛巳年——一九四一年出生的人，今年身體健康良好，必須小心牙齒及喉腔護理。口舌是非諸多，慎防一發不可收拾。

生肖屬蛇(巳)的牛年運程

生肖屬蛇的人，今年命宮中雖然凶星眾多，但因有「三台」吉星坐鎮，可令群醜辟易，逢凶化吉！但仍需謹慎戒備，慎防小人構陷，橫禍飛來。事業方面，屬蛇的人備受掣肘，難以盡展所長，以致工作進度總是難以一氣呵成！因有「指背」凶星出現在命宮中，顯示今年不停有人在背後指指點點、諸多口舌是非，必須及早小心處理，以免一發不可收拾！此外，今年與客戶之間亦會有不少矛盾，處理稍有不當，便很可能損失慘重。財運方面，屬蛇的人今年財運頗佳，正財收入豐厚，但橫財則不宜強求。健康方面，屬蛇的人今年健康良好，但易受口腔之疾困擾，必須小心護理。感情方面，屬蛇的人今年易與異性投緣，感情大有進展，但需防因蜚短流長而誤會叢生，凶終隙末！

屬蛇的青少年

今年讀書成績差強人意，必須加倍努力，才可望學業有成！今年與同學朋友頗多口舌是非，必須謹口慎言，以免口舌招尤！今年健康良好，但可惜易受口腔之疾困擾，必須小心清刷牙齒，以及清潔口腔喉嚨。

屬蛇的婦女

今年因有指背凶星照命，故此在家庭中以及朋友間容易被人批評指責，切勿太意氣用事！健康良好，但需小心護理口腔牙齒。屬蛇的少女，今年將會與頗多異性接觸，並且容易擦出火花，但必須盡量保持低調。

事業

屬蛇的人今年命宮中凶星雖多，但因有「三台」吉星坐鎮，故可逢凶化吉。工作上會有諸多困阻，備受掣肘；而且因有指背凶星照命，故此將會遭人在背後評擊，造謠生非，雪上加霜。今年工作出現諸多阻滯的月份，是農曆的正月、三月、五月、六月、九月、十月以及十一月。今年工作進展較佳的月份，是農曆的二月、四月、七月及十二月。

財運

屬蛇的人今年財運大有改善，正財收入穩定豐厚，但橫財則甚為反覆，千萬不可強求，否則便會焦頭爛額，損失慘重。今年財運較佳的月份，是農曆的二月、四月、七月及十二月，應好好把握時機開源節流。今年財運低沉不振的月份，是農曆的三月、五月、六月、八月、九月、十月及十一月，在這幾個月期間理財必須格外小心，慎防受騙。

健康

屬蛇的人今年健康狀況大致良好，並無大礙；但可惜易受口腔之疾困擾，必須小心護理。今年健康易出問題的月份，是農曆的二月、三月、五月、六月、八月及十一月。農曆正月及八月慎防病從口入；三月、七月及十月則需密切注意安全第一。

感情

屬蛇的人今年易與異性投緣，感情大有進展，但會惹起不少閒言閒語，需防因蜚短流長而誤會叢生，凶終隙末。今年感情進展較良好的月份，是農曆的正月、二月、四月、七月及十二月。感情易出問題的月份，是農曆三月、五月、六月、八月及十月。

農曆正月（丙寅月）
西曆二〇〇九年二月四日——三月四日

○本月是非纏身，冷靜克制

屬蛇的人今年運勢平平，新春期間亦乏善足陳，暫時並不宜大展鴻圖，穩守待時為宜。工作進展節外生枝，而且是非纏身！在這段期間最重要的，是盡量保持冷靜克制，切勿被怒火遮蔽理智，否則便祇會令形勢更加惡化下去。財運似是而非，新春玩樂祇宜小注怡情，以免自討沒趣。健康良好，但必須密切注意飲食衛生，以防食物過敏或中毒。感情豐富，易與異性投緣，很可能在新春期間開展一段新戀情。

農曆二月（丁卯月）
西曆二〇〇九年三月五日——四月三日

●本月財星高照，水到渠成

這個月的運勢暢旺，工作大有進展，稍加努力，便可水到渠成，正是大展鴻圖的良機！在這段期間最重要的，是直指目標，務求全力以赴，這樣才可搶佔先機，確保勝利成果！切忌分心兼顧，以致進退失據而自討敗辱。財星高照，可考慮投資創業，購置物業亦有利可圖；橫財雖有所獲，但需防先盛後衰，無以為繼。健康良好，但易受口腔之疾困擾，必須小心護理。感情大有進展，如魚得水，甜蜜溫馨。

農曆三月（戊辰月）
西曆二〇〇九年四月四日——五月四日

●本月意氣用事，兩敗俱傷

這個月因有「五鬼」凶星照命，故此運勢急轉直下，風狂雨暴，慎防猝不及防而一蹶不振。工作內外交煎，內部備受掣肘，外面則有強敵環伺，必須小心應付！在這段期間最重要的，是面對挑戰或責難時，切勿意氣用事而針鋒相對，以免兩敗俱傷。財星破損，錢財易洩，慎防被人侵吞財物，損失慘重。健康欠佳，並且易惹血光之災，出門在外必須密切注意安全第一。感情無風起浪，必須小心維繫。

農曆四月（己巳月）
西曆二〇〇九年五月五日——六月四日

●本月三台坐鎮，乘時進取

這個月因有「三台」吉星照命，運勢暢旺，即使偶有困阻，亦可逢凶化吉。福至心靈，工作得心應手，事半功倍，適宜創業或轉工！在這段期間最重要的，是要積極爭取主動，奮力朝著目標邁進；很可能脫穎而出，有陞職加薪之喜。人逢喜事精神爽，健康大有起色，但需記緊切勿沾惹麻醉品，以免一失足成千古恨。財星高照，財源廣進，可作多元化投資。易與異性擦出火花，但需防花多眼亂，作出錯誤選擇。

農曆五月（庚午月）
西曆二〇〇九年六月五日——七月六日

○本月實事求是，穩中求勝

這個月的運勢反覆向下，月初尚頗暢順，但月尾開始大幅滑落，必須先有心理準備，有備則可無患。工作一波三折，諸多困阻！在這段期間最重要的，是要對事不對人，撇開是是非非，實事求是，這樣才可望沖出困境，轉危為安！財運先盛後衰，投資及賭博均風險極高，忍手為宜，以免焦頭爛額。健康欠佳，易受頭痛以及失眠困擾，必須盡量鬆弛自己，以免神經衰弱。感情方面易招酸風醋雨，必須小心處理。

農曆六月（辛未月）
西曆二〇〇九年七月七日——八月六日

●本月易招小人，沉默是金

這個月的運勢低沉不振，因有「指背」凶星出現在命宮中，故此將會被人在背後指指點點，不勝其煩，很可能因而影響工作進度！在這段期間最重要的，是面對種種口舌是非均必須處之泰然，切勿斤斤計較，以牙還牙，記緊沉默是金。財運低迷，正財及橫財均不宜憧憬；此外，並需慎防受騙破財。健康仍未有多大改善，必須盡量多休養生息，以免積勞成疾。感情乏善可陳，需防因蜚短流長而誤會叢生。

農曆七月（壬申月）

西曆二〇〇九年八月七日——九月六日

●本月福星高照，財源廣進

這個月的運勢大有起色，主要是因有福星高照，故可逢凶化吉。工作困阻及人事紛爭至此煙消雲散，晴空萬里任翱翔，大展鴻圖！在這段期間最重要的，是切勿得意忘形而傲氣凌人，以免眾叛親離，因而陷入孤掌難鳴，高處不勝寒的困境。財運亨通，財源廣進，可以考慮投資創業；但月尾需防財多惹盜。健康大有改善，但攀高宜慎，慎防摔倒受傷。感情出現轉機，易與異性擦出感情火花，但需防言多必失。

農曆八月（癸酉月）

西曆二〇〇九年九月七日——十月七日

〇本月諸多紛爭，以和為貴

這個月的運勢反覆向下，幸而若能保持小心戒備，尚可及早化解，化大事於無形。工作方面出現諸多紛爭，絕對不能掉以輕心！在這段期間最重要的，是千萬不可拖泥帶水，必須及早化解紛爭，以和為貴，盡量避免法律訴訟，否則必定後悔莫及！財運一落千丈，正財尚無大礙，但橫財則切勿憧憬，以免焦頭爛額。密切注意飲食衛生，慎防病從口入。情緒特別緊張，多囉嗦又多挑剔，慎防因而引起愛侶反感。

農曆九月（甲戌月）

西曆二〇〇九年十月八日——十一月六日

〇本月財星破損，慎防侵吞

這個月的運勢似是而非，看似平靜無波，實則暗湧潛伏，稍一不慎，便很可能陰溝裏翻船。工作進展遲緩，必須加倍努力，以免被人後來居上；並需慎防小人構陷，好事多磨。財星破損，錢財易洩，正財及橫財俱欠佳！在這段期間最重要的，是理財必須格外小心謹慎，特別要慎防被人侵吞錢財，損失慘重。健康尚可，並無大礙，但需注意小孩的家居安全。感情平淡，切勿冷落愛侶，以免被人得以乘虛而入。

農曆十月（乙亥月）
西曆二〇〇九年十一月七日——十二月六日

●本月感情易變，拋開成見

這個月的運勢低沉，陰霾密佈，前境並不明朗，必須提高警惕，步步為營，以免失足墮落而難以翻身。工作方面往往遭人無理取鬧，諸多挑剔，必須小心應付，以免吃虧太大。感情易變，在這段期間最重要的，是要拋開成見，盡量多些彼此溝通了解，互諒互讓，以免勞燕分飛，反目成仇。財運依然低迷，仍需要小心理財，切勿浪費，以免出現經濟危機。健康尚可，但月尾必須密切注意交通安全，切勿貪快！

農曆十一月（丙子月）
西曆二〇〇九年十二月七日——一〇年一月四日

●本月逆境求變，自求多福

這個月的運勢崎嶇，諸多險阻，與上司及客戶會有不少矛盾，處理稍有不善，便很可能一蹶不振，一發不可收拾！在這段期間最重要的，是切勿固執己見而一成不變，必須逆境求變，正所謂窮則變而變則通，以免慘被淘汰！財運依然低沉不振，橫財切勿憧憬，並需慎防受騙破財。身體狀況欠佳，必須盡量多休養生息，以免積勞成疾，並需慎防家中幼兒受傳染。與愛侶開玩笑切勿過份，以免感情因而出現裂痕。

農曆十二月（丁丑月）
西曆二〇一〇年一月五日——二月三日

●本月否極泰來，持盈保泰

屬蛇的人今年雖然命宮中凶星眾多，會有諸多阻滯，幸而否極泰來，年尾的運勢大有起色，若能好好把握，定可收復前失！工作方面得心應手，有水到渠成之妙！在這段期間最主要的，是穩中求勝，切勿太過急於求勝，以免因操之過急而自亂陣腳。財星高照，正財及橫財均有所獲，但千萬不可過貪，持盈保泰才是生財之道。健康頗佳，但切勿沉迷酒色。感情生活多姿多采，但不宜過份放縱，以免樂極生悲。

屬蛇的趨吉避凶

十二生肖，無論流年運程是否吉利，均應知道如何去趨吉避凶，以便旺者得以錦上添花，而凶者則得以消災解禍！

以下將分為吉祥物、方位、顏色及吉數四個部份，提示屬蛇的人如何去趨吉避凶。

吉祥物

在傳統的術數觀念中，宇宙萬物各有其相生相剋的特性，而那些對某個生肖特別有利之物，便是那個生肖的「吉祥物」。

擺放吉祥物在適宜的方位，可發揮其特有的生旺化煞作用，對改善流年運程大有幫助。

屬蛇的人今年宜在南方，或在床頭擺放一對以深藍色石雕成的「三龜抱珠」來坐鎮。

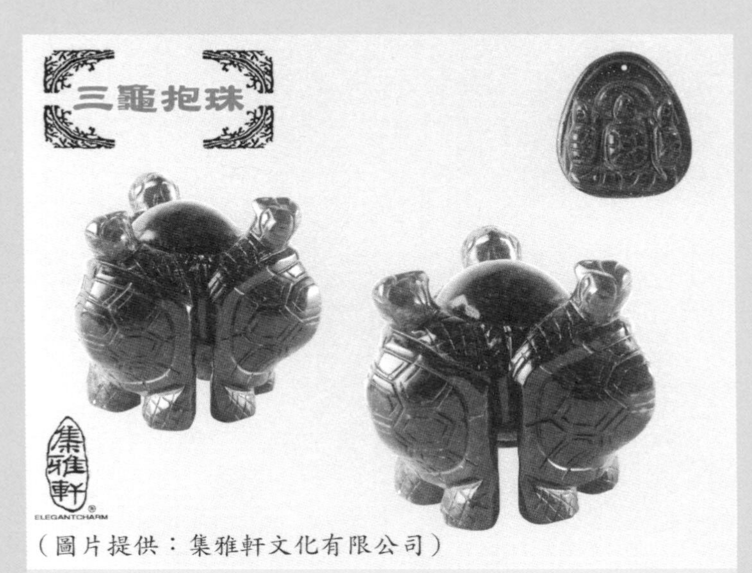

（圖片提供：集雅軒文化有限公司）

偽冒劣品充斥　慎防受騙失效

詳情請閱 11、178 至 194 頁

三龜抱珠

龜，是中國古代的四靈之一，是象徵平安長壽的動物。珍珠，一直被視為是無價之寶，因為古人認為它是飽吸日月精華的結晶，而其中又以圓而大者最為珍貴。三隻靈龜抱著一顆大明珠，是平安富貴的吉祥象徵。

屬蛇的人今年運勢尚可，但因有「指背」凶星照命，故此口舌是非特多。若想化解，可擺放一對「三龜抱珠」作為流年吉祥物。

屬蛇的人今年宜在屋中或房中的南方，擺放一對以深藍色石雕成的三龜抱珠來化煞；或擺放在床頭亦可！倘再隨身配戴藍色的三龜抱珠石墜作護身符，功效將更快更顯。

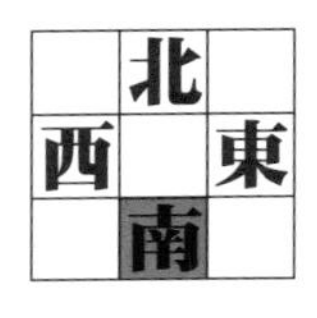

吉祥物因是以天然石塊雕刻，故此若有天然石紋是很自然的事，不足為慮！但若是在擺放過一段時間之後突有破損，這表示它曾以身擋災，原有功效已失，必須盡快更換替補。

必須一提的，是近年世界及中國各地均有很多不合規格的偽冒吉祥物充斥市場，令不少讀者受騙。其實，偽冒的吉祥物有如假藥一樣；假藥不能亂吃，假吉祥物當然亦不能亂擺！欲知如何能購買真貨，請看第十一及一七八頁便知詳情。

吉凶方位

屬蛇的人今年的三個生旺吉方，是南方、東北及西南；若能把睡床、工作檯和沙發擺放在屋內這三個方位上，便可符合這生肖今年的風水趨吉之道，有助改善流年運程。

倘若未能如此，最少亦要把這三種最重要的家具避開西北及北方，以符合避凶之道。

以上所提出的吉凶方位，是純以生肖屬蛇的人來計算；而與其它生肖無關，請勿混淆。

吉凶顏色

屬蛇的人今年的生旺顏色是藍、黑及灰色；若能利用這些顏色來佈置房間或穿衣服，這會對改善流年運程將大有幫助。屬蛇的人今年忌綠色及紅色，最好能盡量避免使用。

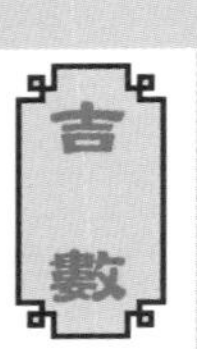

屬蛇的人今年的生旺數字是五及八。

出生年：
二〇〇二
一九九〇
一九七八
一九六六
一九五四
一九四二

壬午年——二〇〇二年出生的人，今年學習情緒高漲，吸收能力特強，學業成績突飛猛進。人緣甚佳，但需防太和善而被欺。

庚午年——一九九〇年出生的人，今年福至心靈，靈感源源不絕，若能努力不懈，定可脫穎而出。應盡力戒除浪費惡習。

戊午年——一九七八年出生的人，今年財運低迷，投資不利，及早儲蓄以備不時之需。感情豐富，但需防太放縱而樂極生悲。

丙午年——一九六六年出生的人，今年有沉迷酒色的傾向，慎防因而酒色傷身。注意家居安全，特別要注意防火防盜。

甲午年——一九五四年出生的人，今年家庭和順，但健康易損，慎防肝臟出現毛病。及早堵塞財政上的漏洞，以免洩漏。

壬午年——一九四二年出生的人，今年身體健康大有改善，但必需遠離煙酒。此外，錢財易洩，處理家庭財務格外謹慎。

生肖屬馬(午)的牛年運程

生肖屬馬的人，今年運勢略有改善，最需要注意的，是謹慎理財，及早積穀防饑，以免出現經濟危機而後患無窮。此外，今年切勿沉迷酒色，慎防酒色傷身而誤了大好前程！屬馬的人今年因有「月德」吉星出現在命宮中，顯示今年易於與人相處，易得人緣；但需防因太和善而被人欺負，因而吃虧不少！今年工作進度以年中一段時期較為順暢，年頭及年尾波動甚大，諸多波折。因有「小耗」凶星出現，屬馬的人今年錢財易洩，必須小心理財；並需及早堵塞財政上的漏洞，以免流洩不止。健康方面，屬馬的人今年身體健康大有改善，但因有「咸池」照命，顯示有沉溺酒色的傾向，必須努力克制。屬馬的人今年感情特別豐富，切勿太過放縱，以免因而惹上孽緣，樂極生悲。

屬馬的青少年

今年學習情緒高漲，靈感湧現，故此學業成績將有重大突破；應勤加努力，以求百尺竿頭能夠更進一步！今年會有浪費的傾向，必須努力戒除，及早學習儲蓄為妙。今年感情特別豐富，切勿因兒女私情而誤了學業前途。

屬馬的婦女

今年錢財易洩，故此處理家庭財務必須量入為出，以免入不敷支！幸而家庭和順，而身體健康亦將大有改善，但需注意防火防盜。屬馬的少女，今年對感情的追求特別熾熱，但必須保持冷靜，以免自作多情。

事業

屬馬的人今年雖然運勢略有改善，但工作進展仍會節外生枝，諸多阻滯；必須全力以赴，切勿掉以輕心！此外，並需設法改善人緣，眾志成城。今年工作進展較多阻滯的月份，是農曆二月、四月、七月、八月及十一月，在這幾個月期間必須步步為營，切勿輕舉妄動！今年工作進展較順暢的月份，是農曆正月、五月、六月及九月，好好把握時機奮發向上。

財運

屬馬的人今年命宮中有「小耗」凶星出現，預示錢財易洩，必須小心理財，盡可能量入為出；此外，並需及早堵塞財政上的漏洞，以免流洩不止而出現經濟危機！今年財運欠佳的月份，是農曆二月、四月、八月及十一月，理財必須格外小心。今年財運較穩定的月份，是農曆的正月、五月、六月及九月，在這幾個月期間應好好開源節流。

健康

屬馬的人今年健康雖然大有起色，但因有「咸池」凶星照命，預示會有沉溺酒色的傾向，倘若不懂節制，很可能酒色傷身而後患無窮！今年健康易出問題的月份，是農曆三月、四月、七月、十月及十一月；農曆八月則需慎防血光之災。

感情

屬馬的人今年感情特別豐富，對感情的追求特別濃烈，感情生活多姿多采，但切勿太放縱，以免一發不可收拾，樂極生悲！今年感情進展良佳的月份，是農曆正月、五月、六月及九月。今年感情易出問題的月份，是農曆的二月、三月、七月、八月、十月及十一月。

農曆正月（丙寅月）
西曆二〇〇九年二月四日——三月四日

●本月左右逢源，堅守原則

屬馬的人今年運勢不俗，雖非大吉大利，但若奮力向上，定有所獲，絕不會徒勞無功，故應自求多福！新春期間運勢暢旺，正宜大展鴻圖。工作方面易得人緣，對事業發展大有幫助！在這段期間最重要的，是做事必須有原則，絕不可因人情難卻而含糊了事，以免惹起無窮後患。感情生活多姿多采，左右逢源，但切勿太過沉迷。財星高照，財源廣進，但不宜胡亂揮霍，應該及早積穀防饑。健康良好，但需防腸胃受損。

農曆二月（丁卯月）
西曆二〇〇九年三月五日——四月三日

●本月風雲驟變，樂極生悲

這個月的運勢急轉直下，風雲驟變，不如意事接連而來，諸多困擾。工作環境突然發生戲劇性變化，口舌是非亦紛至沓來，必須小心處理，以免愈拖便愈惡化下去！在這期間最重要的，是必須盡量保持低調，明哲保身，遠離是非，以免是非纏身，自毀前程！財星破損，投資及賭博必須忍手，以免血本無歸。感情特別豐富，慎防惹上孽緣而引火焚身，樂極生悲。健康尚可，但需遠離煙酒以及麻醉毒品，切勿沾染。

農曆三月（戊辰月）
西曆二〇〇九年四月四日——五月四日

○本月形勢曖昧，潔身自愛

這個月的運勢雖略有起色，但陰霾並未完全消除，形勢曖昧，故仍未可掉以輕心。工作進展一波三折，未能一氣呵成，必須耐心處理，急於求功反足以誤事！在這段期間最重要的，是必須潔身自愛，縱然面對種種利誘和賄賂，也絕對不可同流合污，以免身敗名裂。財運略有改善，但投資仍非其時，而橫財更是不宜憧憬。這個月身心俱疲，必須盡量多些休息。感情錯縱複雜，往往剪不斷而理還亂，慎防誤己誤人。

農曆四月（己巳月）

西曆二〇〇九年五月五日——六月四日

●本月錢財易洩，慎防小人

這個月的運勢低沉不振，諸多困阻；必須警惕戒備，以防突然而來的暴風雨。工作方面備受掣肘，難以盡展所長，而且很可能有小人乘機落井下石，必須全力以赴。因有「小耗」凶星出現在命宮中，顯示錢財易洩，必須特別小心理財，及早堵塞財政漏洞，以免出現經濟危機。情緒緊張，易受頭痛失眠困擾，必須盡量開解自己，以免導至神經衰弱。這個月感情無風起浪，但往往祇是捕風捉影，自尋煩惱而已。

農曆五月（庚午月）

西曆二〇〇九年六月五日——七月六日

●本月喜氣洋洋，易得人緣

否極泰來，這個月因有吉星拱照，故此運勢大有起色，喜事重重，喜氣洋洋；積壓已久的陰霾將一掃而空，正是推行新項目以及轉工創業的良好時機，切勿失諸交臂。因有「月德」吉星照命，易得人緣；故此在這段期間最重要的，是積極主動與人交往溝通，努力去改善人際關係，這將會對未來發展大有幫助。財運大有起色，但很可能因家有喜事而平添不少開支。人逢喜事精神爽，健康大有改善，而感情風波亦消失無縱。

農曆六月（辛未月）

西曆二〇〇九年七月七日——八月六日

●本月財運亨通，親力親為

年中的農曆五月及六月，是屬馬的人全年運勢最暢順的期間，必須好好把握，奮發向上，以免如入寶山空手回，那便後悔莫及！工作進展暢順，得心應手！在這段期間最重要的，是必須親力親為，切勿假手於人，以免被人瞞騙，弄虛作假，人財兩失。財星高照，可以考慮投資創業，或作多元化投資；月中會有額外收入。健康並無大礙，但切勿酒後駕駛。大有機會邂逅一位動人的異性，必須勇於表達心意。

農曆七月（壬申月）

西曆二〇〇九年八月七日——九月六日

〇本月進退兩難，好事多磨

這個月的運勢反覆向下，月中開始出現諸多困阻，很可能出現進退兩難的尷尬局面，必須小心應付！在這段期間最重要的，是在作出抉擇之前，必須考慮長遠後果，切勿祇看重眼前利益，否則便會判斷錯誤而後悔莫及！感情因有旁人造謠慫恿而好事多磨，必須以真誠及耐心來面對，以免無端斷送一段良緣。財運尚佳，正財收入維持正常，但月尾財運甚為反覆。健康易出問題，密切注意心和腎的保養。

農曆八月（癸酉月）

西曆二〇〇九年九月七日——十月七日

●本月感情失控，三思而行

這個月的運勢搖搖若墜，崎嶇不平，必須步步為營，切勿輕舉妄動，改弦易轍。工作方面將會面對諸多考驗，必須勇於面對，切勿畏縮！在這段期間最重要的，是三思而行，在還沒有考慮周全之前，切勿採取行動，以免形勢失控而一敗塗地。感情亦易失控，必須冷靜地去處理，切勿太感情用事而誤己誤人！健康欠佳，易惹血光之災，密切注意防火及防盜。財星破損，投資及賭博可免則免，以免焦頭爛額。

農曆九月（甲戌月）

西曆二〇〇九年十月八日——十一月六日

●本月吉星拱照，機不可失

這個月因有眾多吉星拱照，故此運勢大有起色，積聚已久的困阻至此一一消除，機不可失，正宜大展鴻圖，盡展所長，定可理想成真！在這段期間最重要的，是要專心一致，心無旁騖，切勿分心；分心則亂，一亂則難以穩操勝券。財星高照，財運大有改善，將會有意外收入，但不宜貪得無厭，以免得不償失。健康良好，但月初仍需注意防火及防盜。感情風波平息，會有一段新發展，但需防被感情瞞閉理智。

農曆十月（乙亥月）
西曆二００九年十一月七日——十二月六日

○本月易受瞞騙，帶眼識人

這個月的運勢反覆向下，陰霾密佈，形勢有欠明朗，必須步步為營，以免失足。工作上的困阻重新浮現，很可能出現客戶推翻承諾的情況！在這段期間最重要的，是必須帶眼識人，切勿被甜言蜜語以及虛情假意欺騙，以免被人蒙閉，輕則受騙破財，重則將身敗名裂。財運反覆，但若能謹慎小心理財，將無大礙。健康似是而非，必須飽飯加衣，遠離酒色。感情容易出軌，必須小心控制，以免失控而難以收拾。

農曆十一月（丙子月）
西曆二００九年十二月七日——一０年一月四日

●本月風狂雨暴，堅忍不拔

這個月因有「死符」等凶星照命，故此運勢急轉直下，風狂雨暴，緊記切勿冒險出擊，以免在暴風雨中摔得遍體鱗傷，一蹶不振！在這段期間最重要的，是必須處變不驚，堅守崗位，堅定不移地靜待暴風雨過去，切勿屈服而自暴自棄。財星破損，切勿投資及賭博，以免泥足深陷而難以自拔。健康欠佳，身心俱疲，慎防積勞成疾！此外，出門並需密切注意舟車安全。感情複雜多變，稍一不慎便會出現裂痕。

農曆十二月（丁丑月）
西曆二０一０年一月五日——二月三日

○本月浮沉反覆，謀定而動

屬馬的人今年的運勢雖然略有改善，但可惜吉凶參半，浮沉不定。年尾仍有反覆波動，故此必須三思而行，切勿輕舉妄動。工作進展一波三折，形勢變幻莫測！在這段期間最重要的，是必須首先看清形勢，考慮清楚未來動向，然後再果斷地採取行動，以避免誤擇目標而損兵折將，費時失事。財運似是而非，暫時祇宜節流，未可奢望如何開源。感情陷於膠著狀態，難捨難離，必須冷靜處理去留問題，以免誤己誤人。

屬馬的趨吉避凶

十二生肖，無論流年運程是否吉利，均應知道如何去趨吉避凶，以便旺者得以錦上添花，而凶者則得以消災解禍！

以下將分為吉祥物、方位、顏色及吉數四個部份，提示屬馬的人如何去趨吉避凶。

吉祥物

在傳統的術數觀念中，宇宙萬物各有其相生相剋的特性，而那些對某個生肖特別有利之物，便是那個生肖的「吉祥物」。

擺放吉祥物在適宜的方位，可發揮其特有的生旺化煞作用，對改善流年運程大有幫助。

屬馬的人今年宜在西北方，或在床頭擺放一對以粉紅色石雕成的「脫穎而出」來催旺。

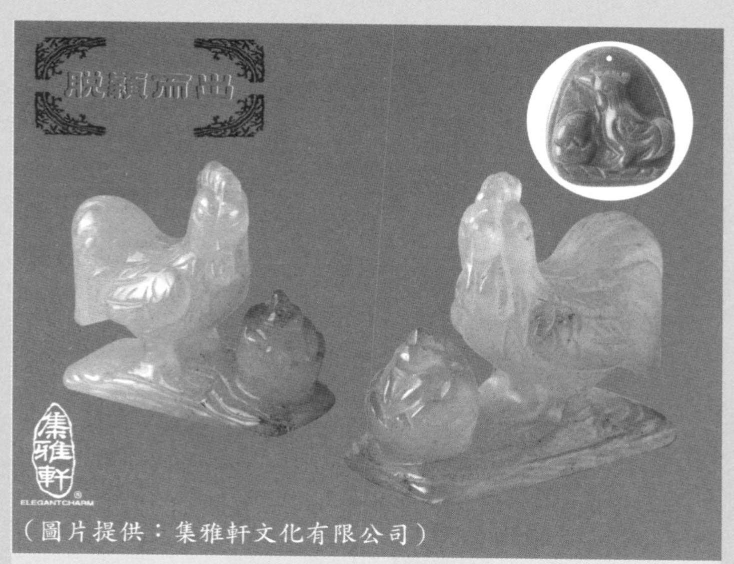

（圖片提供：集雅軒文化有限公司）

偽冒劣品充斥　慎防受騙失效
詳情請閱 11、178 至 194 頁

能夠脫穎而出的人，必是具有真才實學的傑出之士！能夠從蛋中破殼而出的雞雛，亦必是生命力頑強而富有朝氣的生物。一隻初初破殼而出的雞雛，向著母雞呼喚，是脫穎而出的象徵。

屬馬的人，今年運勢雖然略有改善，但仍會有諸多波折，很可能徒勞無功！而且往往受人欺壓而難以出人頭地。若想化煞避凶，可以擺放一對「脫穎而出」作為流年吉祥物。

屬馬的人今年宜在屋中或房中的西北，擺放一對以粉紅色石雕成的脫穎而出來催旺；或擺在床頭亦可！倘再隨身配戴棕色的脫穎而出石墜作護身符，功效將更快更顯。

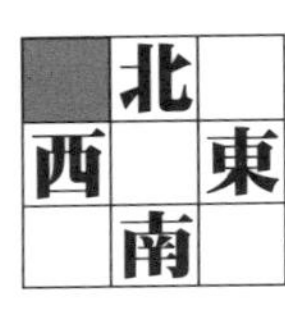

吉祥物因是以天然石塊雕刻，故此若有天然石紋是很自然的事，不足為慮！但若是在擺放過一段時間之後突有破損，這表示它曾以身擋災，原有功效已失，必須盡快更換替補。

必須一提的，是近年世界及中國各地均有很多不合規格的偽冒吉祥物充斥市場，令不少讀者受騙。其實，偽冒的吉祥物有如假藥一樣；假藥不能亂吃，假吉祥物當然亦不能亂擺！欲知如何能購買真貨，請看第十一及一七八頁便知詳情。

吉凶方位

屬馬的人今年的三個生旺吉方，是西北、南方及東南；若能把睡床、工作檯和沙發擺放在屋內這三個方位上，便可符合這生肖今年的風水趨吉之道，有助改善流年運程。

倘若未能如此，最少亦要把這三種最重要的家具避開北方及西方，以符合避凶之道。

以上所提出的吉凶方位，是純以生肖屬馬的人來計算；而與其它生肖無關，請勿混淆。

吉凶顏色

屬馬的人今年的生旺顏色是粉紅、白及棕色；若利用這些顏色來佈置房間或穿衣服，這會對改善流年運程將大有幫助。屬馬的人今年忌灰色及綠色，最好能盡量避免使用。

屬馬的人今年的生旺數字是二及三。

出生年：
二〇〇三
一九九一
一九七九
一九六七
一九五五
一九四三

癸未年——二〇〇三年出生的人，今年身體較為虛弱，易受小病困擾，必須注意清潔衛生。讀書切勿分心，必須將勤補拙。

辛未年——一九九一年出生的人，今年情緒緊張，精神難以集中，學業成績易退難進。易惹血光之災，攀高必須格外謹慎。

己未年——一九七九年出生的人，今年工作進展波濤洶湧，必須謀定而後動，以免全軍覆沒。感情易起風波，慎防勞燕分飛。

丁未年——一九六七年出生的人，今年工作會有諸多人事紛爭，必須及早化解，息事寧人。大耗照命，慎防錢財大量外洩。

乙未年——一九五五年出生的人，今年切勿自以為是，獨斷獨行，以免獨力難支而潰不成軍。財星破損，不利投資及賭博。

癸未年——一九四三年出生的人，今年必須盡量多些睡眠休息，慎防積勞成疾。易與人爭拗衝突，必須互諒互讓，以和為貴。

生肖屬羊(未)的牛年運程

生肖屬羊的人，今年巧遇牛年，因為丑未相沖，正如俗語所謂沖犯太歲！而且命宮中凶星眾多，故此今年運勢波濤洶湧，稍一不慎，便很易有覆頂之禍！幸有「地解」吉星坐鎮，若能小心戒備，很可能得以轉禍為祥，脫離困境。事業方面，屬羊的人今年備受人事紛爭困擾，工作進度因而大受影響，必須息事寧人，及早化解矛盾衝突，以免徒勞無功；此外，今年切勿自以為是，獨斷獨行，否則便會獨力難支而潰不成軍。財運方面，因有「大耗」凶星照命，顯示錢財很可能大量外洩，故此理財必須特別小心謹慎。健康方面，屬羊的人今年健康平平，攀高宜慎，慎防從高處墮下受傷。感情方面，屬羊的人今年落落寡歡，往往與人發生爭拗，倘若不能互諒互讓，很可能感情破裂。

屬羊的青少年

今年情緒緊張，難以集中精神讀書溫習，所以學業成績有如逆水行舟，易退而難進；必須努力設法將勤補拙。今年盡量避免自大及自以為是，以免與同學朋友格格不入。今年易惹血光之災，攀高必須格外小心。

屬羊的婦女

今年健康平平，必須有足夠睡眠休息，以免積勞成疾！此外，並需慎防摔傷。家人之間紛爭頗多，必須及早排難解紛，作出調停。屬羊的少女，今年會有孤芳自賞的傾向，慎勿走入象牙塔而找不到出路。

事業

屬羊的人今年沖犯太歲，而命宮中又有眾多凶星，故此工作進展諸多阻滯；稍一不慎，便會一蹶不振！幸有「地解」吉星坐鎮，故此若能步步為營，可望轉危為安！今年工作進展較多阻滯的月份，是農曆的正月、二月、四月、六月，七月、九月及十二月。今年工作進展較暢順的月份，是農曆的三月、五月、十月及十一月，應好好把握時機奮發向上。

財運

屬羊的人今年因有「大耗」凶星照命，預示錢財很可能大量外洩，流失不止！故此理財必須特別小心謹慎，以免出現經濟困難！今年財運低沉不振的月份，是農曆正月、二月、四月、六月、七月、九月及十二月；農曆二月則需慎防受騙破財。今年財運較佳的月份，是農曆的三月、五月及十一月，應好好把握時機開源節流。

健康

屬羊的人今年健康平平，必須小心保養，以免疾病頻仍；此外，因有「破碎」及「闌干」凶星照命，故此攀高宜慎，慎防從高墮下受傷！今年健康易出問題的月份，是農曆正月、二月、四月、六月、七月、九月及十二月；農曆三月、四月及十月慎防摔傷。

感情

屬羊的人今年情緒較為波動，往往容易與人發生爭拗衝突，落落寡歡；倘若與愛侶不能互諒互讓，很可能勞燕分飛。今年感情容易出問題的月份，是農曆的正月、四月、六月、七月、九月及十二月，必須很小心來處理感情問題。

農曆正月（丙寅月）
西曆二〇〇九年二月四日——三月四日

●本月內外交煎，身心俱疲

屬羊的人今年沖犯太歲，故此運勢欠佳；新春期間命宮中凶星匯集，波濤洶湧，切勿輕舉妄動，以免招災惹禍。工作方面備受掣肘，而且強敵環伺，可謂內外交煎！在這段期間最重要的，是忍辱負重，盡量化解矛盾衝突；千萬不可意氣用事，以免小不忍而亂大謀，雪上加霜。工作勞碌奔波，壓力沉重，身心俱疲，必須盡量爭取足夠休息睡眠，以免積勞成疾。財星破損，攬財切勿強求！感情易起風波，忍讓為上。

農曆二月（丁卯月）
西曆二〇〇九年三月五日——四月三日

○本月諸多是非，以退為進

這個月的運勢略有起色，但仍會有暴風雨過後的餘波，未可安穩立足；故應步步為營，千萬不可急於求進，以免欲速不達。工作困阻漸消，但依然諸多是非，以致進度受阻！在這段期間最重要的，是切勿與人斤斤計較，否則便會剪不斷而理還亂；必須以退為進，因為退一步則可海闊天空。財運似是而非，慎防受騙破財或遭盜竊。健康平平，慎防患上傳染病。多些陪伴愛侶，多些互諒互讓，感情或會出現第二春。

農曆三月（戊辰月）
西曆二〇〇九年四月四日——五月四日

●本月時來運到，奮發向上

這個月因有福星高照，時來運到，運勢大有起色，正是奮發向上的良機，切勿失諸交臂。工作困阻消除，人事紛爭亦暫告一段落，可重新走上正軌！在這段期間最重要的，是冷靜客觀地去思考未來的發展路向，看看是否需要轉換工作環境，及早成竹在胸，免得受人唆擺而舉棋不定。財星高照，財運亨通，月中會有中獎的幸運。健康大有好轉，但記緊攀高宜慎。感情出現轉機，易與異性投緣，但切勿見異思遷。

農曆四月（己巳月）
西曆二〇〇九年五月五日——六月四日

●本月螳臂擋車，動則有悔

這個月因有「豹尾」凶星照命，故此運勢急轉直下，很多潛伏已久的問題一一爆發出來，令工作進度出現不少變卦，必須全力以赴，以免功虧一簣！在這段期間最重要的，是切勿批評上司及權威人士，或向他們公開挑戰，否則便有如螳臂擋車，自討滅亡。財星破損，切勿投資賭博，以免血本無歸！健康欠佳，出門必須密切注意安全第一，爬山及登高必須格外小心。感情上切勿自以為是，必須顧及愛侶的感受。

農曆五月（庚午月）
西曆二〇〇九年六月五日——七月六日

●本月雨過天青，得道多助

這個月因有「地解」吉星出現在命宮中，故可逢凶化吉；運勢有如雨過天青，陰霾全都消失無蹤。工作方面福至心靈，大有進展！在這段期間最重要的，是切勿自以為是而盛氣凌人，獨斷獨行，以免眾叛親離！盡可能以誠待人，以德服人，得道多助才可邁向成功。財運大有好轉，若有人誠意邀請合作，不妨仔細考慮。健康良好，但需小心照顧長輩健康。社交應酬繁忙，很可能會有一段難忘的邂逅。

農曆六月（辛未月）
西曆二〇〇九年七月七日——八月六日

○本月諸多掣肘，默默耕耘

這個月的運勢反覆向下，工作又再出現重重困阻，以致進展停滯，有欲振乏力之嘆！而最困擾的是人事紛爭，備受掣肘！在這段期間最重要的，是要懂得遠離是非，明哲保身；在飽受攻擊之下，始終默默耕耘，以行動來証明自己。財運浮沉反覆，橫財切勿憧憬！並切勿借貸，以免泥足深陷而難以自拔。情緒緊張，易受頭痛及失眠等毛病困擾，必須盡量鬆弛休息。感情方面慎防小人從中破壞，切勿輕信謠言。

農曆七月（壬申月）
西曆二○○九年八月七日——九月六日

●本月風狂雨暴，錢財易洩

這個月的運勢每下愈況，低沉不振；工作方面有如風雨飄搖，切勿輕舉妄動，必須在崗位上屹立不移，以免被暴風雨連根拔起！在這期間最重要的，是要懂得避重就輕，四兩撥千斤，借力卸力；切勿硬碰硬，以免元氣大傷。因有大耗凶星照命，顯示這個月錢財很可能大量外洩，故此除了理財必須格外小心，並要慎防盜竊。健康欠佳，慎防心臟及血壓出現問題。感情落落寡歡，切勿太過執著，以免走入象牙塔。

農曆八月（癸酉月）
西曆二○○九年九月七日——十月七日

○本月逆水行舟，同舟共濟

這個月的運勢似是而非，看似平靜無波，其實暗湧潛伏，故此切勿掉以輕心，以免失敗得莫明其妙！工作進度因有小人從中作梗，以致有如逆水行舟，易退而難進！在這段期間最重要的，是必須能夠與人衷誠合作，在困境中發揮同舟共濟的精神，這樣才可沖破困難，力保不失。財運並無多大改善，暫時還是不宜考慮開源，而必須以節流作為大前題！健康尚可，但感情將會出現諸多煩惱，暫時還是順其自然為宜。

農曆九月（甲戌月）
西曆二○○九年十月八日——十一月六日

●本月晦氣瀰漫，沉著應變

這個月因有「闌干」凶星照命，故此運勢不升反跌，晦氣瀰漫，形勢曖昧，前境並不明朗。工作環境出現很大變化，難以捉摸！在這段期間最重要的，是必須冷眼旁觀，首先看清形勢，然後再沉著應變，見招拆招，這樣才不會迷失方向而枉費心血，費時失事。財星暗淡，切勿投資及賭博；並需慎防墮入金錢圈套。健康易出問題，除了小心飲食衛生，並需慎防交通意外。感情易起爭執，切勿各走極端而勞燕分飛。

農曆十月（乙亥月）
西曆二〇〇九年十一月七日——十二月六日

○本月柳暗花明，慎防摔傷

這個月的運勢反覆向上，在山窮水盡疑無路的情況下，會出現柳暗花明又一村的意外驚喜。工作方面勞碌奔波，進展先難後易，月中開始出現轉機！在這段期間最重要的，是在辛勞工作之餘，必須小心保養身體，切勿過勞，以免身心俱疲而積弱不振；此外，並需慎防摔傷。財運雖然略有起色，但切勿急於求勝，以免貪勝不知輸，最終得不償失。多些主動與人交往，切勿孤芳自賞，以免錯失很多良機。

農曆十一月（丙子月）
西曆二〇〇九年十二月七日——一〇年一月四日

●本月苦盡甘來，積穀防饑

這個月因為命宮中有眾多吉星拱照，故此運勢大有起色，氣勢如虹，是今年難得的進取時機之一，必須好好把握。工作進展暢順，而且又有貴人指引提攜，更可如虎添翼！在這段期間最重要的，是切勿得意忘形而過橋抽板，必須珍惜那些曾經同甘共苦的人，否則便肯定會後悔莫及！財運大有好轉，但切勿浪費，及早儲蓄以積穀防饑為宜。健康好轉，但仍需小心保養。這個月易與異性投緣，但需防花多眼亂。

農曆十二月（丁丑月）
西曆二〇一〇年一月五日——二月三日

●本月諸多變卦，隨機應變

屬羊的人今年沖犯太歲，年初及年尾的運勢俱低沉不振，故此宜守不宜攻，切勿輕舉妄動，動則有悔！工作進展出現諸多變卦，很多意想不到的困阻均會一一湧現！在這段期間最重要的，是要隨機應變，因應不同的困阻來尋求不同的變通化解方法，否則便會被困難克服而一籌莫展。財星破損，錢財易洩，慎防出現經濟困難。健康欠佳，慎防病從口入及感染風寒。得饒人處且饒人，切勿再翻感情舊帳。

屬羊的趨吉避凶

十二生肖，無論流年運程是否吉利，均應知道如何去趨吉避凶，以便旺者得以錦上添花，而凶者則得以消災解禍！

以下將分為吉祥物、方位、顏色及吉數四個部份，提示屬羊的人如何去趨吉避凶。

吉祥物

在傳統的術數觀念中，宇宙萬物各有其相生相剋的特性，而那些對某個生肖特別有利之物，便是那個生肖的「吉祥物」。

擺放吉祥物在適宜的方位，可發揮其特有的生旺化煞作用，對改善流年運程大有幫助。

屬羊的人今年宜在南方，或在床頭擺放一對以白色石雕成的「麟鳳獻寶」來催旺。

（圖片提供：集雅軒文化有限公司）

偽冒劣品充斥　慎防受騙失效
詳情請閱 11、178 至 194 頁

中國古代有四靈之說，這四種最有靈氣的動物，麒麟與鳳凰均名列其中，故此兩者一直以來均甚受喜愛。元寶，是古代財富的象徵，麒麟與鳳凰齊獻元寶，是富貴吉祥的喜兆。

屬羊的人今年命犯太歲，而命宮中凶星眾多，運勢崎嶇，必須步步為營！又有「大耗」凶星照命，錢財易洩。若想催吉避凶，可以擺放一對「麟鳳獻寶」作為流年吉祥物。

屬羊的人今年宜在屋中或房中的南方，擺放一對以白色石雕成的麟鳳獻寶來催旺；或擺放在床頭亦可！倘再隨身配戴藍色的麟鳳獻寶石墜作護身符，相輔相成，功效將更快更顯。

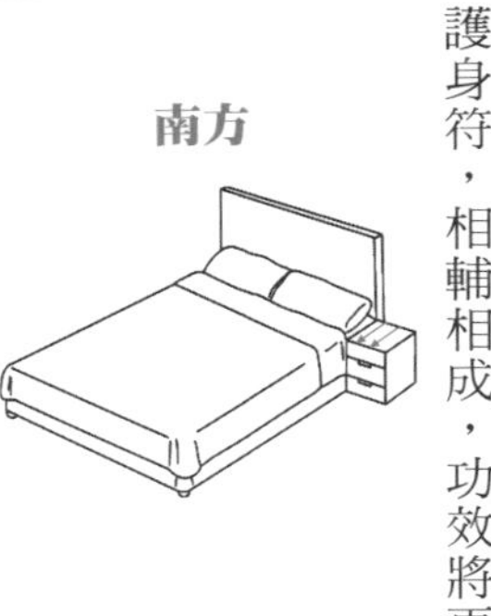

吉祥物因是以天然石塊雕刻，故此若有天然石紋是很自然的事，不足為慮！但若是在擺放過一段時間之後突有破損，這表示它曾以身擋災，原有功效已失，必須盡快更換替補。

必須一提的，是近年世界及中國各地均有很多不合規格的偽冒吉祥物充斥市場，令不少讀者受騙。其實，偽冒的吉祥物有如假藥一樣；假藥不能亂吃，假吉祥物當然亦不能亂擺！欲知如何能購買真貨，請看第十一及一七八頁便知詳情。

吉凶方位

屬羊的人今年的三個生旺吉方，是南方、西北及東南；若能把睡床、工作檯和沙發擺放在屋內這三個方位上，便可符合這生肖今年的風水趨吉之道，有助改善流年運程。

倘若未能如此，最少亦要把這三種最重要的家具避開東北及東方，以符合避凶之道。

以上所提出的吉凶方位，是純以生肖屬羊的人來計算；而與其它生肖無關，請勿混淆。

吉凶顏色

屬羊的人今年的生旺顏色是白、藍及黑色；若能利用這些顏色來佈置房間或穿衣服，這會對改善流年運程將大有幫助。屬羊的人今年忌黃色及紫色，最好能盡量避免使用。

屬羊的人今年的生旺數字是三及九。

出生年：
二〇〇四
一九九二
一九八〇
一九六八
一九五六
一九四四

甲申年——二〇〇四年出生的人，今年身體健康情況甚佳，但必須密切注意家居安全。讀書頭腦靈活，但必須小心管教。

壬申年——一九九二年出生的人，今年靈感源源不絕，若能專心溫習，定可名列前茅。易與異性擦出火花，但需防花多眼亂。

庚申年——一九八〇年出生的人，今年工作必須爭取主動，搶佔先機才可穩操勝券。感情生活多姿多采，可結出情花愛果。

戊申年——一九六八年出生的人，今年財星高照，有利投資創業，大有可為！若能找到良好的合作伙伴，更可錦上添花。

丙申年——一九五六年出生的人，今年易惹官非，故此切勿行險僥倖，以免法網難逃。穩中求勝，以免一時失手便一蹶不振。

甲申年——一九四四年出生的人，今年健康良好，但易惹血光之災，應盡量遠離利器。財運頗佳，但千萬不可貪得無厭。

生肖屬猴(申)的牛年運程

生肖屬猴的人，今年命宮中因有眾多吉星拱照，故此運勢暢旺，雖有困阻，亦可迎刃而解！但因同時有「官符」凶星出現，故此必須循規蹈矩、奉公守法，以免觸惹官非而法網難逃。屬猴的人今年在事業方面頗具創意，靈感湧現，故此可以早佔先機；若能好好把握，定可穩操勝券，克敵致勝！若能找到良好合作伙伴，則更可錦上添花，創造出輝煌成果。但因有「暴敗」凶星照命，故此必須保持警惕，以防突然失敗得莫明其妙。財運方面，屬猴的人今年財星高照，有利投資創業；而橫財亦甚暢旺，但切勿貪得無厭。健康方面，屬猴的人今年健康頗佳，但必須密切注意家居安全。因有「天喜」吉星照命，屬猴的人今年感情多姿多采，甜蜜溫馨，可望結出情花愛果。

屬猴的青少年

今年頭腦靈活清醒，靈感將源源不絕；若能專心工作，心無旁騖，定可名列前茅！但今年必須循規蹈矩，切勿觸犯法紀及校規，以免自毀前程！今年健康大致良好，但需密切注意家居安全，鎖好門窗及切勿玩火。

屬猴的婦女

今年身體健康頗佳，但必須密切注意家人健康，特別要注意把家中的利器收藏妥當。財運亨通，但切勿太貪而最終得不償失。屬猴的少女，今年天喜照命，故此易與異性擦出感情火花，可望談婚論嫁。

事業

屬猴的人今年運勢暢旺，大吉大利，縱使偶有困阻，亦可迎刃而解！但因有官符這顆凶星照命，故此必須奉公守法，以免觸犯官非，法網難逃！今年工作進展暢順的月份，是農曆的二月、四月、六月、八月、十一月及十二月，應好好把握時機奮發向上。今年工作進展欠佳的月份，是農曆正月、五月、七月、九月及十月，切勿輕舉妄動。

財運

屬猴的人今年財星高照，有利投資創業，而且時有意外之財；但切勿貪得無厭，以免最終得不償失，因貪而變貧！今年財運較暢旺的月份，是農曆的二月、四月、六月、八月及十二月，應好好把握時機開源節流。今年財運欠佳的月份，是農曆正月、五月、九月、十月及十一月；農曆正月及六月，慎防盜劫，而三月則需慎防墮入金錢圈套。

健康

屬猴的人今年健康頗佳，並無大礙，但易惹血光之災，必須盡量遠離刀斧劍鋸等利器，並需密切注意家居安全。今年健康容易出問題的月份，是農曆正月、三月、七月及十月，必須小心保養調理；農曆正月及九月需密切注意家居安全。

感情

屬猴的人今年因有「天喜」吉星照命，故此易與異性投緣，感情生活多姿多采，甜密溫馨，很可能結出情花愛果，佳偶天成！今年感情進展良好的月份，是農曆的二月、四月、六月、七月、八月、十一月及十二月，珍惜時機培養感情。

農曆正月（丙寅月）
西曆二〇〇九年二月四日——三月四日

●本月妄動招悔，穩守待時

屬猴的人今年雖然運程大吉大利，但可惜新春期間運勢低沉，暫時未可迎春接福。工作諸多阻滯，而且會有小人從中作梗！在這期間最重要的，是暫時宜守不宜攻，先求在暴風雨中能夠站穩腳跟，然後再徐圖後計，以免一蹶不振。財星破損，切勿投資及賭博，否則必定後悔莫及！此外，並需慎防盜劫。健康尚可，但必須密切注意家居安全，慎防火警及入屋爆竊。感情往往無風起浪，自尋煩惱，千萬不可意氣用事。

農曆二月（丁卯月）
西曆二〇〇九年三月五日——四月三日

●本月春風得意，全力以赴

這個月因有吉星拱照，晦氣一掃而空，運勢因而大有起色，可說是遲來的春天。工作困阻消除，口舌是非亦大為平息，可以全心工作，大有可為！在這段期間最重要的，是要自求多福，切勿依賴別人，凡事必須親力親為，自然會獲得豐碩成果。財星高照，有利投資創業，而橫財亦甚暢旺。這個月易與異性擦出感情火花，但切勿過度放縱，以免慾火焚身而樂極生悲。健康良好，神清氣爽，但需防酒色傷身。

農曆三月（戊辰月）
西曆二〇〇九年四月四日——五月四日

○本月暗湧潛伏，慎防圈套

這個月的運勢曖昧，似是而非，故此必須步步為營，穩中求勝，以免大意失荊州！工作方面諸多暗湧，浮沉不定！在這段期間最重要的，是必須帶眼識人，認清身邊小人的真面目，以免受其欺騙構陷。財運反覆，切勿受人唆擺而盲目投資，以免焦頭爛額，並需慎防誤墮金錢圈套而人財兩失。健康易出問題，必須放鬆焦慮的心情，以免精神陷於崩潰。感情若即若離，暫時祇能順其自然發展，切勿急切強求。

農曆四月（己巳月）
西曆二〇〇九年五月五日——六月四日
●本月打鐵趁熱，勿失先機

這個月因有「紫微」吉星高照，故此運勢暢旺，氣勢如虹，正是奮發向上的大好時機。工作得心應手，而且得道多助，事半功倍！在這段期間最重要的，是要積極爭取主動，打鐵趁熱，搶佔先機，這樣才可穩操勝券！財星照命，可作多元化投資，有利可圖！橫財亦甚暢旺，但切勿過貪，以免因貪變貧。健康大有起色，但仍需爭取足夠休息睡眠，固本培元。感情出現轉機，應好好珍惜時機以培養感情。

農曆五月（庚午月）
西曆二〇〇九年六月五日——七月六日
●本月處變不驚，安全第一

這個月因有「天厄」凶星出現在命宮中，故此運勢急轉直下，不如意事接踵而來，必須先有心理準備，以免臨時手足無措。工作諸多阻滯，往往有人吹毛求疵，故意留難挑剔！在這段期間最重要的，是處變不驚，面對種種挑釁均需泰然處之，切勿動怒或以牙還牙，以免小不忍而亂大謀。財星暗淡，正財橫財俱不宜憧憬。這個月易惹血光之災，必須密切注意安全，特別要遠離利器。感情諸多煩惱，剪不斷而理還亂。

農曆六月（辛未月）
西曆二〇〇九年七月七日——八月六日
●本月福至心靈，大有可為

這個月因有福星高照，故可逢凶化吉，上個月的是非及困阻至此均一掃而空，大有可為。工作方面福至心靈，靈感將源源不絕，有助脫穎而出！在這段期間最重要的，是把無窮創意轉變成具體可行的創新方案，這樣才可領導潮流，穩佔先機。財星照命，正財橫財均大有改善；但緊記錢財不可露眼，以免財多惹盜。健康良好，但月初仍需遠離刀劍斧鋸等利器，以免血光之災。感情煩惱消失，感情將和好如初。

農曆七月（壬申月）
西曆二〇〇九年八月七日——九月六日

〇本月諸多口舌，沉默是金

這個月的運勢平平，乏善可陳，而且會有諸多口舌是非，若不小心處理，很可能後患重重！在這段期間最重要的，是不要聽信是非，因為愈聽信便愈亂！同時亦要保持沉默，不談是非，以免因而口舌招尤。工作進展一波三折，難以一氣呵成，必須全力以赴，以免最後功虧一簣。財運浮沉反覆，橫財不宜強求；月中很可能要破財檔災。健康尚可，但需慎防腸胃受感染。感情甜蜜溫馨，但切勿張揚，以免招人妒忌。

農曆八月（癸酉月）
西曆二〇〇九年九月七日——十月七日

●本月喜氣洋洋，廣開財源

這個月因有「天喜」吉星照命，故此晦氣一掃而空，喜氣洋洋，大吉大利。工作進展暢順，口舌是非盡消！在這段期間最重要的，是要與合作伙伴和衷共濟，相輔相成以創造輝煌成果！切勿互相猜忌，以免被旁人得以乘虛而入。財星高照，財運亨通，應設法多些開源以增加收入。天喜照命，顯示與異性特別投緣，容易結出情花愛果；這個月嫁娶甚為適宜。人逢喜事精神爽，心情開朗，健康因而亦大有起色。

農曆九月（甲戌月）
西曆二〇〇九年十月八日——十一月六日

〇本月循規蹈矩，慎防官非

這個月的運勢先盛後衰，反覆向下，月中開始出現諸多變卦阻滯，切勿掉以輕心。工作勞碌奔波，但往往吃力不討好，而且還會受到評擊！在這段期間最重要的，是千萬不可因急於求成而行險僥倖，必須循規蹈矩；走捷徑及走後門很可能因而惹上官非，後患無窮。財運大不如前，暫時不宜投資及賭博，因為虧損的風險甚高。健康平平，最需要注意的是家居安全。對愛侶切勿諸多挑剔，以免感情出現裂痕。

農曆十月（乙亥月）
西曆二〇〇九年十一月七日——十二月六日

●本月功敗垂成，有備無患

這個月因命宮中凶星眾多，故此運勢一落千丈，切勿輕舉妄動。工作壓力沉重，而且會有小人落井下石，很可能功敗垂成！在這段期間最重要的，是要有足夠危機意識，保持警惕，及早準備好應變措施，這樣才可力挽狂瀾。財運低迷，錢財易洩，理財必須特別小心，以免出現經濟危機。健康欠佳，必須密切注意日常飲食衛生，慎防腸胃及肝臟出現毛病，切勿諱疾忌醫。處理感情問題時，切勿拖泥帶水而誤己誤人。

農曆十一月（丙子月）
西曆二〇〇九年十二月七日——一〇年一月四日

○本月反覆向好，漸人佳境

這個月的運勢先衰後盛，反覆向好；在迂迴曲折之中，漸人佳境。屬猴的人，今年年尾兩個月運勢暢旺，正是奮發向上的大好時機，應該好好把握。工作發展仍有暗湧潛伏，故此必須穩打穩紮，穩中求勝，以免欲速不達而耽誤了發展大計。財運略有改善，但仍需小心量入為出，以免財來財去而難以積聚。健康漸有起色，仍需小心戒口，戒吃生冷及水產食物。感情出現第二春，重現生機，而且會更美更甜蜜。

農曆十二月（丁丑月）
西曆二〇一〇年一月五日——二月三日

●本月運勢暢旺，乘時進取

屬猴的人今年因有「紫微」及「龍德」吉星坐鎮在命宮中，故此事業發展特別有利。年尾運勢暢旺，如日方中，正宜乘時進取，平步青雲！在這段期間最重要的，是要高瞻遠矚，從宏觀的角度來判斷未來發展的正確路向，這樣才可走得更高更遠！財星高照，正財橫財俱甚暢旺；可投資創業或購買物業，而且會幸運中獎。健康大有起色，但需切戒暴飲暴食。感情生活多姿多采，甜蜜溫馨，但慎防太沉迷而誤了公事。

屬猴的趨吉避凶

十二生肖，無論流年運程是否吉利，均應知道如何去趨吉避凶，以便旺者得以錦上添花，而凶者則得以消災解禍！

以下將分為吉祥物、方位、顏色及吉數四個部份，提示屬猴的人如何去趨吉避凶。

吉祥物

在傳統的術數觀念中，宇宙萬物各有其相生相剋的特性，而那些對某個生肖特別有利之物，便是那個生肖的「吉祥物」。

擺放吉祥物在適宜的方位，可發揮其特有的生旺化煞作用，對改善流年運程大有幫助。

屬猴的人今年宜在東南方，或在檯頭擺放一對以黑色石雕成的「鼠猴從龍」來生旺。

鼠猴從龍
集雅軒
ELEGANTCHARM
偽冒劣品充斥　慎防受騙失效
詳情請閱 11、178 至 194 頁

（圖片提供：集雅軒文化有限公司）

鼠猴從龍

中國傳統術數中，一直有申子辰三合之說，三合便可力量倍增，奸邪辟易云云。申是猴、子是鼠，而辰是龍，故此古人認為猴、鼠，與龍這三者組合，是平安吉祥、旺上加旺的吉兆。

屬猴的人今年有紫微天喜吉星拱照，故此運勢有如日正中天，勢如破竹！而又有「龍德」吉星照命，旺上加旺！若想催旺，可以擺放一對「鼠猴從龍」作為流年吉祥物。

屬猴的人今年宜在屋中或房中的東南，擺放一對以黑色石雕成的鼠猴從龍來生旺；或擺放在檯頭亦可！倘再隨身配戴藍色的鼠猴從龍石墜作護身符，功效將更快更顯。

吉祥物因是以天然石塊雕刻，故此若有天然石紋是很自然的事，不足為慮！但若是在擺放過一段時間之後突有破損，這表示它曾以身擋災，原有功效已失，必須盡快更換替補。

必須一提的，是近年世界及中國各地均有很多不合規格的偽冒吉祥物充斥市場，令不少讀者受騙。其實，偽冒的吉祥物有如假藥一樣；假藥不能亂吃，假吉祥物當然亦不能亂擺！欲知如何能購買真貨，請看第十一及一七八頁便知詳情。

吉凶方位

屬猴的人今年的三個生旺吉方，是東南、西北及南方；若能把睡床、工作檯和沙發擺放在屋內這三個方位上，便可符合這生肖今年的風水趨吉之道，有助改善流年運程。

倘若未能如此，最少亦要把這三種最重要的家具避開東北及東方，以符合避凶之道。

以上所提出的吉凶方位，是純以生肖屬猴的人來計算；而與其它生肖無關，請勿混淆。

吉凶顏色

屬猴的人今年的生旺顏色是黑、藍及白色；若能利用這些顏色來佈置房間或穿衣服，這會對改善流年運程將大有幫助。屬猴的人今年忌紅色及橙色，最好能盡量避免使用。

屬猴的人今年的生旺數字是一及八。

出生年：
一九九三
一九八一
一九六九
一九五七
一九四五
一九三三

癸酉年——一九九三年出生的人，今年頭腦特別靈活清新，學業成績有新突破，很可能金榜題名。交友宜慎，切忌交淺言深。

辛酉年——一九八一年出生的人，今年必須密切注意水上安全，千萬不可疏忽。感情若即若離，得失祇可隨緣，強求無益。

己酉年——一九六九年出生的人，今年工作進展良好，很可能升職加薪，掌握實權。處事保持低調，以免招惹小人妒忌。

丁酉年——一九五七年出生的人，今年家庭關係大有改善，而事業亦可脫穎而出；但可惜財運似是而非，理財必須格外謹慎。

乙酉年——一九四五年出生的人，今年財運頗佳，投資有利可圖，但橫財切勿憧憬。易招血光之災，慎防水險及食物中毒。

癸酉年——一九三三年出生的人，今年健康情況並不穩定，時好時壞，必須小心保養。家庭和順，但必須小心照顧家中小孩。

生肖屬雞(酉)的牛年運程

生肖屬雞的人，今年運勢暢順，得心應手；正是大展鴻圖的良機，很可能脫穎而出、平步青雲；但美中不足，是今年易惹血光之災，故此必須特別小心注意安全，以免後悔莫及！因有「將星」吉星坐鎮命宮，屬雞的人今年將可沖破困阻，勇闖高峰！很可能升職加薪，掌握實權；故此正是奮發向上，大展鴻圖的良機！但得志之餘必須保持低調，以免遭人妒忌而節外生枝。財運方面，屬雞的人財星高照，財源廣進，投資有利可圖，適宜購置房屋物業；但橫財浮沉反覆，切勿憧憬，以免損手。因有「浮沉」凶星出現在命宮中，屬雞的人今年必須密切注意水上安全，慎防水險，以免後悔莫及。感情方面，屬雞的人今年感情進展不過不失，得失隨緣，千萬不可強求。

屬雞的青少年

今年靈感湧現，容易理解及吸收新知識及新事物，對學業成績大有幫助；很可能脫穎而出，金榜題名！今年必須密切注意水上安全，游泳、釣魚及潛水時，必須慎防水險。今年與朋友交往，切忌交淺而言深。

屬雞的婦女

今年易惹血光之災，必須密切注意人身安全，特別提防水險！家庭和順，財源廣進，但橫財不利，切勿強求！屬雞的少女，今年感情進展似是而非，對方若即若離，很可能落花有意而流水無情。

事業

屬雞的人今年運勢暢順，工作進展得心應手，可收事半功倍之效！很可能脫穎而出，正是大展鴻圖的良機；但必須保持低調，以免招人妒忌！今年工作進展暢順的月份，是農曆正月、三月、四月、七月、十月及十二月，應好好把握時機發奮向上。今年工作進展較多阻滯的月份，是農曆的二月、六月、九月及十一月，切勿輕舉妄動。

財運

屬雞的人今年財星高照，財源廣進，投資有利可圖，適宜購置房屋物業；但橫財則浮沉反覆，切勿憧憬，以免招致重大損失。今年財運暢旺的月份，是農曆正月、四月、七月、十月及十二月，應好好把握機會開源節流。今年財運較為低落的月份，是農曆二月、三月、五月、六月、九月及十一月，在這幾個月期間，理財必須格外小心謹慎。

健康

屬雞的人今年健康平平，易招血光之災，必須密切注意安全第一！因有「浮沉」凶星出現在命宮中，特別要小心提防水險。今年健康容易出問題的月份，是農曆的二月、十月及十一月；農曆六月及七月慎防水險；農曆三月、五月、九月則需注意家居及交通安全。

感情

屬雞的人今年感情生活比較平淡，不過不失！祇能隨緣，千萬不可強求，以免誤己誤人！今年感情欠佳的月份，是農曆二月、三月、六月、九月及十一月。今年感情進展較佳的月份，是農曆正月、四月、七月及十月，應把握時機好好培養感情。

農曆正月（丙寅月）
西曆二〇〇九年二月四日——三月四日

●本月迎春接福，大展鴻圖

屬雞的人今年命宮中吉星拱照，故此運勢暢旺！新春氣勢如虹，工作進展得心應手，正宜大展鴻圖！在這段期間最重要的，是要積極進取，但不可過份張揚！低調耕耘才可穩操勝券，太高調便會變為眾矢之的，功敗垂成。財星高照，財源廣進，但亦會有不少開支，很可能財來財去而難以積聚。健康良好，但需飲食小心，以免食物中毒。易與異性擦出火花，感情生活多姿多采，但記緊切勿太過張揚。

農曆二月（丁卯月）
西曆二〇〇九年三月五日——四月三日

●本月諸多困阻，切勿妄動

這個月的運勢有如突發的狂風暴雨，必須步步為營，以免在風雨中失足跌倒而一蹶不振。工作方面突然出現意想不到的困阻，進度很可能停滯不前！在這期間最重要的，是處變不驚，在形勢不明朗的情況下，必須以不變應萬變！在看清形勢變化之後，才再部署出擊為宜。財星破損，切勿賭博或作任何重大投資。健康似是而非，必須戒吃海鮮及生冷食物。感情出現暗湧，慎防有小人乘機破壞，乘虛而入。

農曆三月（戊辰月）
西曆二〇〇九年四月四日——五月四日

○本月實事求是，橫財勿貪

這個月的運勢反覆向上，在迂迴曲折之中，將會漸入佳境，但必須循序漸進，千萬不可急於求成。工作方面困阻漸消，但仍有暗湧潛伏！在這段期間最重要的，是要實事求是，切勿賣弄花巧，弄虛作假；因為作偽必定心勞力拙，終會徒勞無功。財運略有起色，但橫財浮沉反覆，必須切戒貪念，以免因貪而變貧，並需慎防墮入金錢圈套。健康尚可，但需密切注意家居安全。難與異性投緣，有情懷落寞之嘆。

農曆四月（己巳月）
西曆二〇〇九年五月五日——六月四日

●本月福至心靈，特具創意

這個月因有福星高照，運勢大有起色，將可逢凶化吉。工作方面因為福至心靈，特具創意，靈感將源源不絕！在這段期間最重要的，是要避免被現有的成就蒙閉，而應該開始找尋未來的發展路向，發掘未來發展的潛質，這樣才可早佔先機，早著先鞭。財星高照，財運大有改善，投資有利可圖；但橫財先盛後衰，月尾一落千丈。健康良好，但需防酒色傷身。感情出現轉機，切勿見異思遷，否則必定後悔莫及。

農曆五月（庚午月）
西曆二〇〇九年六月五日——七月六日

○本月穩打穩紮，安全第一

這個月的運勢反覆向下，表面看來似乎平靜無波，但其實暗湧潛伏，必須小心戒備，切勿掉以輕心。工作方面雖有困阻，但若能謹慎處理，尚無大礙！在這段期間最重要的，是事事小心謹慎，小心駛得萬年船，穩打穩紮才可確保安穩地向成功目標進發。財運平平，乏善可陳；小心看管錢財，慎防遺失或被竊。因有「大殺」凶星照命，易惹血光之災，必須注意安全第一。感情若即若離，有患得患失的失落感。

農曆六月（辛未月）
西曆二〇〇九年七月七日——八月六日

●本月眾叛親離，慎防水險

這個月因有眾多凶星混雜，故此運勢崎嶇不平，諸多困阻，切勿涉險，以免根基動搖而前功盡廢。工作進展因受人事紛爭影響，停滯不前，而且很可能出現軍心不穩、眾叛親離的情況！在這段期間最重要的，是要注意改善待人接物的態度，盡量設法改善人際關係，以免獨力難支。因有「浮沉」凶星照命，必須密切注意水上安全，慎防水險。錢財容易大量外洩，必須密切注意節流。感情易起風波，很可能勞燕分飛。

農曆七月（壬申月）

西曆二〇〇九年八月七日——九月六日

●本月吉星拱照，氣勢如虹

這個月因有「將星」等吉星拱照，有如大將助陣，氣勢如虹，若肯奮發向上，肯定可斬將搴旗，敲響勝鼓而回。工作進展暢順，而且會有貴人指引！在這段期間最重要的，是要飲水思源，對於那些曾經幫助自己上進的人，千萬不可過橋抽板，棄如敝履，否則很快便會自食苦果。財運大有起色，可考慮投資創業，大有可為；但橫財不利。健康良好，但仍需慎防水險。感情危機逐漸消退，將會揭開全新的一頁。

農曆八月（癸酉月）

西曆二〇〇九年九月七日——十月七日

○本月任重道遠，自我增值

這個月的運勢曖昧，似是而非，將會出現不少假象，稍一不慎，便很容易受愚弄，必須提高警惕。工作方面將出現不少變數，切勿分心，分心則亂！在這段期間最重要的，是要不斷努力去充實自己，不斷自我增值，否則便不足以應付未來的艱巨挑戰，因而錯失良機。財運平平，但祇要不貪橫財，便無大礙。因有「血刃」照命，故此切戒與人爭執打鬥，並需遠離利器，以免血光之災。感情平淡，乏善足陳。

農曆九月（甲戌月）

西曆二〇〇九年十月八日——十一月六日

○本月是非纏身，泥足深陷

這個月因有「白虎」凶星出現在命宮中，故此易招小人，而是非口舌特多，故此工作進展波折重重，很可能徒勞無功！在這期間最重要的，是要暫時盡量順應時勢來待人處事，切忌太固執己見；這主要是忍一時意氣，則可免百日之憂。切勿賭博及借貸，以免泥足深陷；此外，並需盡快繳清欠帳。健康平平，出門必須密切注意交通安全，切勿貪快。感情發展面臨歧路，得失應該順其自然，千萬不可強求。

農曆十月（乙亥月）

西曆二〇〇九年十一月七日——十二月六日

●本月朝氣蓬勃，身心康泰

這個月因有吉星拱照，運勢有如暴風雨後的朝陽，朝氣蓬勃，大有可為！工作進展暢順，若能乘時奮發，很可能升職加薪，掌握權柄！在這段期間最重要的，是要保持奮發向上的雄心，務求百尺竿頭，能更進一步！這樣才可真正出人頭地，平步青雲。財運大有起色，可考慮作多元化投資，但需防被人侵吞錢財。身心康泰，但需密切注意飲食衛生，月尾慎防病從口入。很有機會結識一位動人的異性，但切勿操諸過急。

農曆十一月（丙子月）

西曆二〇〇九年十二月七日——一〇年一月四日

●本月風雲驟變，有備無患

這個月因有「飛廉」等凶星照命，故此運勢急轉直下，風雲驟變，必須先有心理準備，有備無患。工作很可能出現突變，倘若手足無措，便很可能一敗塗地！在這段期間最重要的，是要吃得起虧，切勿與人斤斤計較，因為愈計較便愈紊亂，往往令形勢變得更為惡化而難以收拾。財運一落千丈，橫財切勿強求，以免損手。健康易出問題，必須小心保養，避免不慎感染風寒。感情無風起浪，慎防因誤會而破裂。

農曆十二月（丁丑月）

西曆二〇一〇年一月五日——二月三日

●本月否極泰來，喜氣洋洋

屬雞的人今年運勢暢旺，上個月雖有狂風驟雨，但年尾否極泰來，陰霾一掃而空；氣勢如日當中，喜氣洋洋。工作困阻消除，可重新走上正軌！在這段期間最重要的，是切勿太得意忘形，以免招人妒忌，以致節外生枝而功虧一簣。財星高照，財源廣進，正財及橫財均會大有所獲；但需防被人侵吞或財多惹盜。健康大有起色，但出門必須注意交通安全。感情豐富，渴望找到感情寄托，但暫時不宜寄與厚望。

屬雞的趨吉避凶

十二生肖，無論流年運程是否吉利，均應知道如何去趨吉避凶，以便旺者得以錦上添花，而凶者則得以消災解禍！

以下將分為吉祥物、方位、顏色及吉數四個部份，提示屬雞的人如何去趨吉避凶。

在傳統的術數觀念中，宇宙萬物各有其相生相剋的特性，而那些對某個生肖特別有利之物，便是那個生肖的「吉祥物」。

擺放吉祥物在適宜的方位，可發揮其特有的生旺化煞作用，對改善流年運程大有幫助。

屬雞的人今年宜在南方，或在床頭擺放一對以深藍色石雕成的「福如東海」來生旺。

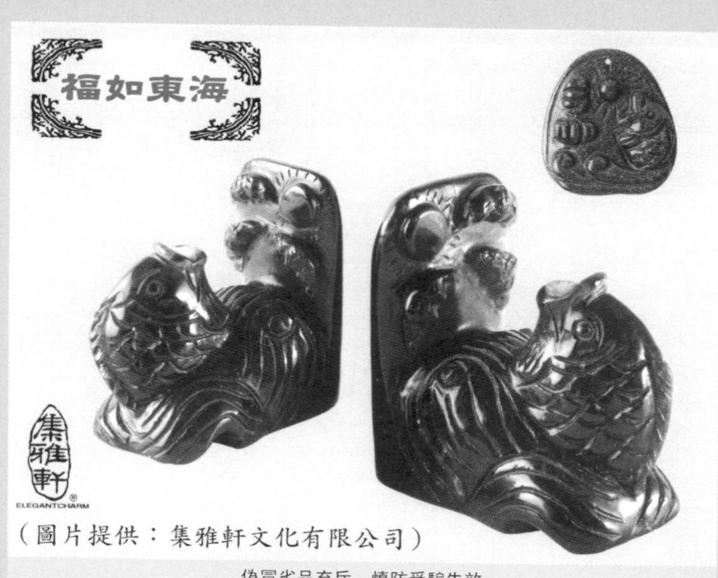

（圖片提供：集雅軒文化有限公司）

偽冒劣品充斥　慎防受騙失效
詳情請閱 11、178 至 194 頁

福如東海

福如東海，是表示福澤有如東海這般深闊。

生命力頑強的鯉魚，在東海的波濤跳躍翻騰，出入自如，再加上三隻象徵幸福的蝙蝠，以及象徵東海日出的朝陽，組合成健康幸福的吉兆。

屬雞的人今年有將星八座吉星照命，故此運勢暢旺，大吉大利！但因有「浮沉」凶星出現，必須慎防水險！若想確保平安幸福，可以擺放一對「福如東海」作為流年吉祥物。

屬雞的人今年宜在屋中或房中的南方，擺放一對以深藍色石雕成的福如東海來生旺；或擺在床頭亦可！倘再隨身配戴藍色的福如東海石墜作護身符，功效將更快更顯。

南方

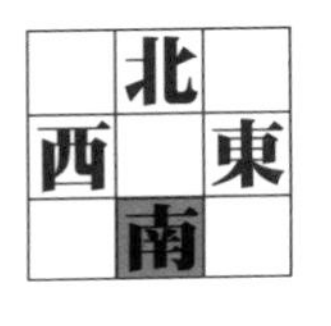

吉祥物因是以天然石塊雕刻，故此若有天然石紋是很自然的事，不足為慮！但若是在擺放過一段時間之後突有破損，這表示它曾以身擋災，原有功效已失，必須盡快更換替補。

必須一提的，是近年世界及中國各地均有很多不合規格的偽冒吉祥物充斥市場，令不少讀者受騙。其實，偽冒的吉祥物有如假藥一樣；假藥不能亂吃，假吉祥物當然亦不能亂擺！欲知如何能購買真貨，請看第十一及一七八頁便知詳情。

吉凶方位

屬雞的人今年的三個生旺吉方，是南方、東南及西北；若能把睡床、工作檯和沙發擺放在屋內這三個方位上，便可符合這生肖今年的風水趨吉之道，有助改善流年運程。

倘若未能如此，最少亦要把這三種最重要的家具避開東方及北方，以符合避凶之道。

以上所提出的吉凶方位，是純以生肖屬雞的人來計算；而與其它生肖無關，請勿混淆。

吉凶顏色

屬雞的人今年的生旺顏色是藍、黑及灰色；若能利用這些顏色來佈置房間或穿衣服，這會對改善流年運程將大有幫助。屬雞的人今年忌紫色及黃色，最好能盡量避免使用。

屬雞的人今年的生旺數字是二及五。

出生年：
一九九四
一九八二
一九七〇
一九五八
一九四六
一九三四

甲戌年——一九九四年出生的人，今年福至心靈，讀書考試得心應手，學業成績大進。但同學朋友之間是非特多，小心面對。

壬戌年——一九八二年出生的人，今年感情生活多姿多采，但可惜有緣無份，很可能空留回憶。謹口慎言，以免口舌招尤。

庚戌年——一九七〇年出生的人，今年工作上將有頗多發展晉升機會，若能全力以赴，定可馬到功成。自我奮發，切勿依賴。

戊戌年——一九五八年出生的人，今年必須懂得明哲保身，遠離是非！並需小心保密，慎防洩漏商業秘密。不宜作重大投資。

丙戌年——一九四六年出生的人，今年家有喜事，喜氣洋洋；但家庭開支頗大，必須量入為出。夏天出門旅遊，慎防水險。

甲戌年——一九三四年出生的人，今年身體健康較為虛弱，若有毛病便即需延醫診治。夏天夜間出外，密切注意交通安全。

生肖屬狗(戌)的牛年運程

生肖屬狗的人，今年命宮中因有福星高照，故可逢凶化吉，大吉大利！但因有「捲舌」凶星照命，容易口舌招尤；必須謹口慎言，遠離是非，以免自誤前程！自求多福，屬狗的人今年必須自我奮發，切勿依賴別人，否則便會痛失良機！事業方面，屬狗的人今年會有很多機會來臨，必須精心選擇，看準目標然後全力以赴，肯定可以馬到功成，名成利就；但必須明哲保身，切勿捲入是非圈。此外，並須小心保密，商業秘密切勿洩漏出去。財運方面，屬狗的人財運頗佳，但陰晴不定，故此不宜作重大投資或賭博。屬狗的人今年健康平平，幸而並無大礙。感情方面，屬狗的人今年喜氣洋洋，身邊將會不斷有異性出現，感情多姿多采，但可惜有緣無份，很可能空留回憶。

屬狗的青少年

今年福至心靈，讀書考試得心應手，故此學業成績突飛猛進！但可惜今年同學朋友間的是非特多，必須懂得小心保護自己，盡量不要捲入是非圈。今年對異性感情有一份強烈渴求，祇可惜是有緣無份。

屬狗的婦女

今年福星高照，心想事成，而且很可能家有喜事，喜氣洋洋；但可惜身體健康平平，必須小心調理保養，千萬不可諱疾忌醫。屬狗的少女，今年雖然與不少異性有緣，但可惜均有如曇花一現，難以持久！

事業

屬狗的人今年因為命宮中福星高照，故此工作進展將可逢凶化吉，大有可為！但可惜因有「捲舌」凶星照命，預示容易口舌招尤，必須謹口慎言。今年工作進展暢順的月份，是農曆正月、五月、七月、九月及十一月，應好好把握時機奮發向上。今年工作較多阻滯的月份，是農曆二月、三月、六月、八月及十月，在這幾個月期間必須三思而行。

財運

屬狗的人今年財運頗佳，財運亨通；但可惜陰晴不定，故此不宜作重大投資或賭博，以免先盛後衰，血本無歸。今年財運暢旺的月份，是農曆正月、五月、七月、九月及十一月，應好好把握時機開源節流。今年財運欠佳的月份，是農曆二月、三月、六月、八月、十月及十二月，在這幾個月期間，理財必須格外小心謹慎。

健康

屬狗的人今年健康狀況反覆，幸而若能小心保養調理，尚無大礙！今年健康易出問題的月份，是農曆的二月、三月、六月、八月、十月、十二月；因有「披麻」凶星照命，故此農曆的五月及十一月，需密切照顧長輩健康安全；六月則慎防水險以及交通意外。

感情

屬狗的人今年喜氣洋洋，感情生活多姿多采；但可惜身邊雖有不少異性，卻是有緣無份，很可能空留回憶。今年感情進展較佳的月份，是農曆正月、五月、七月及十一月。今年感情諸多煩惱的月份，是農曆二月、六月、八月、十月及十二月。

農曆正月（丙寅月）

西曆二〇〇九年二月四日——三月四日

●本月福星高照，春風得意

屬狗的人今年運勢暢旺，氣勢如虹，若能把握時機奮發向上，定可脫穎而出，名利雙收。新春福星高照，春風得意，工作進展暢順，事半功倍！在這段期間最重要的，是不要被勝利沖昏了頭腦，必須冷靜地看清楚形勢，然後才再作出抉擇，以免費時失事。這個月財星高照，小注怡情會有意外收獲，但得些好意便必須回手。健康雖好，但需防飲食過多以致腸胃受損。自有奇逢應早春，新春會有一段難忘的懈逅。

農曆二月（丁卯月）

西曆二〇〇九年三月五日——四月三日

○本月再三覆核，慎防出錯

這個月的運勢反覆向下，看似平靜無波，實則暗湧潛伏，稍一不慎，便很可能大意失荊州。工作方面諸多變卦，必須時加警惕！在這段期間最重要的，是處事必須加倍小心謹慎，簽署文件或點查收支帳目，務必再三複核，慎防出錯，否則便後患無窮。財運浮沉反覆，橫財不利，尤以月尾為甚！健康平平，幸而若能密切注意飲食衛生，戒吃生冷則尚無大礙。切勿冷落愛侶，以免令第三者得以乘虛而入。

農曆三月（戊辰月）

西曆二〇〇九年四月四日——五月四日

●本月小人作梗，慎防圈套

這個月因有「陰殺」凶星照命，故此運勢風雨如晦，低迷不振；必須沉著地步步為營，以免失足而墮入圈套之中。工作壓力沉重，但往往徒勞無功！在這段期間最重要的，是保持低調，慎防招惹小人，以免小人從中作梗，落井下石以致功敗垂成。財星破損，投資及賭博均需忍手；此外，並需慎防墮入金錢圈套。健康欠佳，容易患上傳染病，晚上出門注意高空墮物。感情雖然多姿多采，但可惜有緣無份。

農曆四月（己巳月）

西曆二〇〇九年五月五日——六月四日

〇本月親力親為，切勿依賴

這個月的運勢雖略有起色，但仍會有不少困阻，故此未可鬆懈下來，以免功虧一簣。工作進展一波三折，而且很可能有下屬隱瞞真相的情況出現！在這段期間最重要的，是必須親力親為，切勿依賴別人代勞；並需察察為明，以防被人瞞騙出賣。財運先衰後盛，月中開始好轉，但仍未是大舉出擊的時機。健康尚可，但在辛勤工作之餘，必須有充足休息，慎勿過勞。時機未至，暫時不宜對心儀的異性表達心意。

農曆五月（庚午月）

西曆二〇〇九年六月五日——七月六日

●本月風雲際會，脫穎而出

這個月的運勢機緣巧合，風雲際會，將有不少良機湧現，若能乘時好好把握，很可能平步青雲。工作方面因有「扳鞍」吉星照命，故將可掌握權柄，有升職加薪之喜！在這期間最重要的，是要注意改善人際關係，切勿得意忘形而目中無人，否則很快便會打回原形。財運亨通，可作多元化投資，但需量力而為，以免因貪而變貧。健康良好，但必須密切注意老人長輩的健康。感情豐富，易與異性擦出感情火花。

農曆六月（辛未月）

西曆二〇〇九年七月七日——八月六日

●本月隔牆有耳，言多必失

這個月的運勢急劇逆轉，不如意事有如突然而來的暴風雨，慎防措手不及而失敗。工作方面出現諸多變卦及困阻，必須及時小心處理，以免被人乘機攻擊。因有「捲舌」凶星照命，口舌是非甚多！在這段期間最重要的，是要謹口慎言，以免口舌招尤；並切勿批評議論別人，需防隔牆有耳。財星破損，切勿投資賭博，否則便血本無歸。健康欠佳，慎防水險及交通意外。感情往往無風起浪，切勿太感情用事而誤己誤人。

農曆七月（壬申月）

西曆二〇〇九年八月七日——九月六日

●本月當機立斷，早佔先機

這個月因有眾多吉星拱照命宮，故此運勢大有起色，陰霾一掃而空，晴天萬里任翱翔，正宜大舉出擊。工作進展暢順，得道多助！在這段期間最重要的，是要當機立斷，搶佔先機；切忌猶豫不決而被人後來居上，誤失良機！財運好轉，正財豐足，而且會有意想不到的額外收入；但必須小心看管錢財，以防財多惹盜。健康頗佳，但不宜沉迷酒色，以免酒色傷身。感情出現轉機，請記緊互相寬容才可確保感情永固。

農曆八月（癸酉月）

西曆二〇〇九年九月七日——十月七日

○本月感情易變，冷靜處理

這個月的運勢曖昧，晦氣瀰漫，充滿變數，故此必須步步為營，千萬不可輕舉妄動。工作方面慎防被人中途出賣，或出現悔約的尷尬情況！在這段期間最重要的，是要保持冷靜克制，先靜觀其變，然後看準時機出擊，務求一擊即中！這個月感情敏感易變，很可能要面臨取捨抉擇，必須冷靜處理，以免剪不斷而理還亂！財運反覆，正財及橫財俱不宜憧憬，以免焦頭爛額。健康易出毛病，慎防心肺疲勞受損。

農曆九月（甲戌月）

西曆二〇〇九年十月八日——十一月六日

●本月變通有道，推陳出新

這個月的運勢先衰後盛，月初尚有困阻，但若能隨機應變，變通有道，則可望闖出一番新天地！在這期間最重要的，是要面對現實來革新，推陳出新才可望適者生存，抱殘守缺祇會被時代淘汰。倘若準備轉業或轉工，轉換新環境，這個月正是大好時機。財運大有起色，財源廣進，但同時亦會有不少額外開支。健康好轉，但仍需要有充足休息以補充元氣。感情危機過去，但可能貌合神離，必須小心維繫。

農曆十月（乙亥月）

西曆二〇〇九年十一月七日——十二月六日

●本月以退為進，明哲保身

這個月因有「陰殺」凶星出現在命宮中，對運勢大有影響！工作進展停滯不前，而且會有諸多口舌是非，必須小心處理！在這段期間最重要的，是要在複雜的環境中懂得明哲保身，切勿捲入是非圈；並要懂得以退為進，肯退讓一步即可變得海闊天空。財星破損，財運急轉直下，投資賭博均暫時忍手為宜，切莫強求。健康欠佳，精神恍惚，有毛病切勿諱疾忌醫。感情若即若離，有緣無份，很可能空留回憶。

農曆十一月（丙子月）

西曆二〇〇九年十二月七日——一〇年一月四日

●本月時來運轉，順水推舟

這個月因有福星高照，時來運轉，運勢甚為暢旺。工作事半功倍，大有進展，很可能有無心插柳柳成蔭的意外收獲，而且口舌是非亦將煙消雲散！在這段期間最重要的，是要懂得把握時勢順水推舟，這樣費力既小而收效卻甚大，對事業發展大有裨益。財運頗佳，橫財亦頗不俗，但需防月尾錢財外洩。健康大有起色，但需密切注意長輩的健康。多些陪伴愛侶，或送些小禮物來表示心意，這將會帶來意想不到的回報。

農曆十二月（丁丑月）

西曆二〇一〇年一月五日——二月三日

〇本月小心保養，隨遇而安

屬狗的人今年雖然有福星高照，運勢大吉大利；但可惜年尾運程回落，必須事事小心，以防大意失荊州而前功盡廢！工作進展遲緩，未能盡如人意！在這段期間最重要的，是處事必須量力而為，順其自然；切勿太過苛求而令壓力大增，這樣反會誤事。健康平平，若不小心保養，很可能引致疾病纏身，請記緊健康才真的是無價寶。財運乏善可陳。感情平淡，很難擦出火花，必須隨緣而往，強求無益。

屬狗的趨吉避凶

十二生肖，無論流年運程是否吉利，均應知道如何去趨吉避凶，以便旺者得以錦上添花，而凶者則得以消災解禍！

以下將分為吉祥物、方位、顏色及吉數四個部份，提示屬狗的人如何去趨吉避凶。

吉祥物

在傳統的術數觀念中，宇宙萬物各有其相生相剋的特性，而那些對某個生肖特別有利之物，便是那個生肖的「吉祥物」。

擺放吉祥物在適宜的方位，可發揮其特有的生旺化煞作用，對改善流年運程大有幫助。

屬狗的人今年宜在西北，或在檯頭擺放一對以紅色石雕成的「勇往直前」來添旺。

（圖片提供：集雅軒文化有限公司）

詳情請閱 11、178 至 194 頁

勇往直前

看準目標、勇往直前，往往可以排除諸多困阻，直向成功的大道邁進！駿馬奔馳起來，勢如追風，很多動物均望塵莫及。飛馳的駿馬加上一串串古錢，組合而成勇往直前的吉祥景象。

屬狗的人，今年福星高照，故此運勢暢旺，良機湧現，正是大展鴻圖的良好時機！必須勇往直前，切勿錯失良機。若想催旺，可以擺放一對「勇往直前」作為流年吉祥物。

屬狗的人今年宜在屋中或房中的西北，擺放一對以紅色石雕成的勇往直前來添旺；或擺放在檯頭亦可！倘再隨身配戴棕色的勇往直前石墜作護身符，功效將更快更顯。

吉祥物因是以天然石塊雕刻，故此若有天然石紋是很自然的事，不足為慮！但若是在擺放過一段時間之後突有破損，這表示它曾以身擋災，原有功效已失，必須盡快更換替補。

必須一提的，是近年世界及中國各地均有很多不合規格的偽冒吉祥物充斥市場，令不少讀者受騙。其實，偽冒的吉祥物有如假藥一樣；假藥不能亂吃，假吉祥物當然亦不能亂擺！欲知如何能購買真貨，請看第十一及一七八頁便知詳情。

吉凶方位

屬狗的人今年的三個生旺吉方，是西北、南方及東北；若能把睡床、工作檯和沙發擺放在屋內這三個方位上，便可符合這生肖今年的風水趨吉之道，有助改善流年運程。

倘若未能如此，最少亦要把這三種最重要的家具避開東南及西方，以符合避凶之道。

以上所提出的吉凶方位，是純以生肖屬狗的人來計算；而與其它生肖無關，請勿混淆。

吉凶顏色

屬狗的人今年的生旺顏色是紅、棕及黃色；若能利用這些顏色來佈置房間或穿衣服，這會對改善流年運程將大有幫助。屬狗的人今年忌藍色及白色，最好能盡量避免使用。

屬狗的人今年的生旺數字是六及七。

豬

出生年：
一九九五
一九八三
一九七一
一九五九
一九四七
一九三五

乙亥年——一九九五年出生的人，今年讀書學習情緒低落，必須努力將勤補拙，以免遠遠落後。戒吃生冷，慎防患上傳染病。

癸亥年——一九八三年出生的人，今年感情有如鏡花水月，難以捉摸，切勿感情用事。出門有利，適宜出外旅遊或創業。

辛亥年——一九七一年出生的人，今年先衰後盛，年尾可望守得雲開見月明！盡量找人合作，共同承擔，切勿孤軍作戰。

己亥年——一九五九年出生的人，今年工作進展一波三折，欲振乏力，但需堅持下去！忍辱負重，按部就班，切勿輕舉妄動。

丁亥年——一九四七年出生的人，今年財運似是而非，及早儲蓄，切勿臨渴掘井。健康尚可，但需密切照顧小孩的安全健康。

乙亥年——一九三五年出生的人，今年健康雖無大礙，但小病頻仍，必須密切注意飲食衛生。財運欠佳，慎防受騙破財。

生肖屬豬(亥)的牛年運程

生肖屬豬的人，今年因為命宮中吉星寥寥可數，故此運勢平平，乏善可陳！因有「驛馬」高照，故此今年適宜往外發展，尤以前往南及東北方最為有利。事業方面，屬豬的人今年工作進度遲緩，停滯不前，欲振乏力！但千萬不可輕易放棄，因為若能努力忍下去，年尾將會苦盡甘來。今年工作壓力沉重，盡可能找人合作，共同承擔；若是孤軍作戰，則恐怕獨力難支而一蹶不振。忍辱負重，按部就班，是屬豬的人今年的座右銘。財運方面，屬豬的人今年財運似是而非，宜守不宜攻，及早儲蓄以備不時之需，毋臨渴而掘井。健康方面，屬豬的人今年健康並無大礙，但必須小心照顧家中小孩的安全健康。屬豬的人今年的感情有如鏡花水月，難以捉摸；必須保持冷靜克制，切勿太感情用事。

屬豬的青少年

今年讀書學習情緒低落，而吸收能力又低降；故此必須將勤補拙，否則便會遠遠落後，相形見拙。今年健康並無大礙，但必須密切注意飲食衛生，特別要戒吃生冷，並需慎防患上傳染病，有備無患。

屬豬的婦女

今年健康尚可，小心保養便無大礙！但必須密切照顧家中的小孩，注意他們的健康和安全。財運欠佳，切勿借貸及賭博。屬豬的少女今年感情諸多煩惱，必須多些溝通了解，以免各走極端。

事業

屬豬的人今年運勢平平，乏善可陳；必須倍加努力，才可衝破障礙，否則便難以有所作為。因有「驛馬」星高照，故此今年出門有利，適宜向外發展。今年工作進展欠佳的月份，是農曆正月、四月、五月、七月、九月及十一月，幸而年尾可苦盡甘來。今年工作較暢順月份，是農曆二月、三月、六月以及十月，應好好把握時機奮發向上。

財運

屬豬的人今年財運似是而非，看似平靜無波，實則暗湧潛伏，故此宜守不宜攻！應及早儲蓄以備不時之需，切勿臨渴而掘井。今年財運欠佳的月份，是農曆正月、四月、五月、八月、九月及十一月，在這幾個月期間，理財必須格外小心謹慎。今年財運較穩定的月份，是農曆二月、三月、六月以及十月，應把握時機開源節流。

健康

屬豬的人今年健康尚算良好，但因有「天狗」凶星照命，容易招災惹禍，必須密切注意安全，並需小心照顧家中小孩。今年健康及安全易出問題的月份，是農曆的四月、六月、七月、九月及十一月；農曆正月、五月及八月，必須密切照顧小孩。

感情

屬豬的人今年感情若即若離，有如鏡花水月，難以捉摸！得失取捨必須隨緣，切勿太過執著，更切勿太過感情用事！今年感情易出問題的月份，是農曆正月、四月、七月、九月及十一月。今年感情進展較佳的月份，是農曆二月、三月、六月、十月及十二月。

農曆正月（丙寅月）

西曆二〇〇九年二月四日——三月四日

●本月壓力沉重，獨木難支

屬豬的人今年因為命宮中吉星寥寥可數，故此運勢平平，乏善足陳。新春運勢低沉，難以迎春接福。工作上壓力沉重，勞碌奔波，但很可能獨木難支而徒勞無功！在這段期間最重要的，是必須設法物色志同道合的人，找尋支援，眾志成城才可以支撐大局、力挽狂瀾。財星破損，財運低沉，新春娛樂祇可以小注怡情。健康尚可，但必須密切注意小孩的安全健康。難與異性投緣，切勿隨便表露心意，以免自討沒趣。

農曆二月（丁卯月）

西曆二〇〇九年三月五日——四月三日

●本月同聲相應，飲水思源

這個月因有吉星拱照，故可逢凶化吉，陰霾一掃而空，無限春景將可呈現眼前，應好好珍惜這難得的春光。工作困阻消除，得心應手，而且又會有貴人扶持，將可如虎添翼！在這段期間最重要的，是要飲水思源，對於出力相助的人切勿忘恩負義，反面無情；以免眾叛親離而高處不勝寒，自陷困境。財運大有改善，但橫財仍甚反覆波動。健康良好，出門有利，適宜往外旅遊及發展。易與異性擦出火花，珍惜機緣培養感情。

農曆三月（戊辰月）

西曆二〇〇九年四月四日——五月四日

●本月春風和暢，廣結善緣

這個月的運勢依然暢旺，對於屬豬的人，今年農曆二月及三月，可說是遲來的春天，必須好好把握時機，切勿虛渡春光。工作進展良佳，很可能有新的合作者加入！在這段期間最重要的，是積極主動與人交往溝通，廣結善緣，盡量擴大人際以及商業網絡，這對公對私均將大有裨益。財星高照，正財及橫財俱有收獲；但月尾開始急轉直下，及時收手為宜。健康良好，感情多姿多采，但切勿太過放縱，以免酒色傷身。

農曆四月（己巳月）

西曆二〇〇九年五月五日——六月四日

●本月財運低迷，切戒貪念

這個月的運勢急劇逆變，風起雲湧，不如意事接連而來，必須時刻保持警惕，以免因猝不及防而一敗塗地！工作方面將有不少變卦，必須懂得隨機應變，切勿墨守成規。財運一瀉千里，理財必須加倍小心謹慎，以免出現經濟危機！並需切戒貪念，慎防因貪而變貧。健康易出問題，必須注意飲食衛生，以免病從口入，月初及月中需慎防水險，切勿疏忽大意。感情複雜多變，很可能有第三者介入，必須小心維繫。

農曆五月（庚午月）

西曆二〇〇九年六月五日——七月六日

○本月強敵環伺，切勿退縮

這個月的運勢雖略有起色，但暴風雨過後，仍會有暗湧潛伏，暫時尚未可鬆懈下來。工作方面依然存有不少困阻，而且會有不少強敵環伺，在旁虎視眈眈！在這段期間最重要的，是要鼓起勇氣來面對困難及挑戰，絕對不可畏縮退避，因為一退即後患無窮，再難翻身！財運並無多大起色，除了慎防受騙破財，並需慎防盜竊。健康大有改善，但需慎防小孩患上傳染病。感情出現轉機，但切勿操之過急而誤事。

農曆六月（辛未月）

西曆二〇〇九年七月七日——八月六日

●本月雨過天青，勇於求進

這個月的運勢良佳，有如雨過天青，萬里長空任翱翔，正是大展鴻圖的時勢，千萬不可坐失良機。工作福至心靈，靈感源源不絕！在這段期間最重要的，是要積極爭取主動，搶佔先機，這樣才可穩操勝券！猶豫不決祇會被人後來居上，自招敗辱。財星高照，投資可獲利，但必須量入為出，切勿超出自己的經濟負荷。健康良好，但切戒暴飲暴食，以免腸胃受損。易與異性投緣，但需防多情偏被多情累，樂極生悲。

農曆七月（壬申月）

西曆二〇〇九年八月七日——九月六日

〇本月消弭矛盾，積穀防饑

這個月的運勢反覆向下，風雲險惡，充滿矛盾紛爭，令工作進展大受影響；必須及早化解危機，以免小事化大而一發不可收拾！在這段期間最重要的，是必須以柔制剛，以談判代替鬥爭，切勿動輒採用硬碰硬的激烈手法，以免兩敗俱傷而難以收拾。財運先盛後衰，月中開始滑落，及早儲蓄以積穀防饑為宜。健康並無大礙，但必須密切注意水上安全，慎防水險。感情容易引發口角衝突，必須努力克制情緒。

農曆八月（癸酉月）

西曆二〇〇九年九月七日——十月七日

〇本月莫理人言，照顧家人

這個月的運勢平平，雖有突破；上個月的人事矛盾紛爭仍未平息，若不慎重處理，很有可能變本加厲，故此切勿掉以輕心！在這段期間最重要的，是要以平常心去面對各種是非，正所謂來說是非者，正是是非人！莫理人言，便會減少很多不必要的煩惱。財運並無多大起色，不宜投資及賭博，以免血本無歸。多些與家人共聚，多些照顧家人，特別要注意小孩的安全健康。感情空虛，往往有顧影自憐之嘆。

農曆九月（甲戌月）

西曆二〇〇九年十月八日——十一月六日

●本月欲速不達，鏡花水月

這個月因有眾多凶星混雜在命宮中，故此運勢低迷，諸多險阻，切勿輕舉妄動，妄動則易招悔咎。工作進展節外生枝，必須耐心逐一解決！在這段期間最重要的，是必須按部就班，循序漸進，切勿操之過急，以免欲速不達而誤事。財星破損，錢財易洩難聚，必須量入為出，以免出現經濟周轉困難。情緒緊張，易受頭痛失眠困擾，必須多些休養生息。感情有如鏡花水月，難以捉摸，必須冷靜地處理，切勿感情用事。

農曆十月（乙亥月）

西曆二〇〇九年十一月七日——十二月六日

●本月驛馬照命，出門有利

這個月因有福星高照，故此運勢暢旺，工作得心應手，氣勢如虹，很多工作困阻至此均可迎刃而解，重新走上正軌。命宮出現驛馬星，顯示出門有利，尤以前往南方、或東北方最為有利！在這段期間最重要的，是盡量多些出外搜集相關資料，切勿安坐家中閉門造車，以免與現實脫節而被淘汰。財運轉佳，但需防好景不長。健康良好，但運動不宜過份劇烈。感情出現轉機，很可能揭開全新的一頁。

農曆十一月（丙子月）

西曆二〇〇九年十二月七日——一〇年一月四日

●本月風雲晦暗，忍辱負重

這個月因有「天狗」凶星照命，故此運勢一落千丈，風雲晦暗，故此宜守不宜攻，暫以韜光養晦、養精蓄銳為宜！在這段期間最重要的，是必須忍辱負重，切勿與人斤斤計較，更切勿與人逞強爭勝，以免小不忍而亂大謀，自亂陣腳而前功盡廢。財星破損，會有不少額外開支，而且很可能要破財擋災。健康欠佳，慎防心臟受損，必須盡量多休養生息，切勿過勞。感情發展有如逆水行舟，難進卻易退，而且容易破裂。

農曆十二月（丁丑月）

西曆二〇一〇年一月五日——二月三日

○本月苦盡甘來，厚德載福

對於屬豬的人來說，今年運勢吉凶參半，幸而年尾苦盡甘來，運勢開始好轉，終可獲得較為圓滿的結果。工作困阻以及人事紛爭逐漸消退，因而可以全心全意奮發向上；若能把握時機，定可脫穎而出！在這段期間最重要的，是必須待人以誠，盡量諒解別人的過失；厚德載福，化敵為友，這對公對私均將大有裨益。財運好轉，但橫財仍不宜憧憬。健康雖略有起色，但仍需慎防過勞。感情守得雲開見月明，兩情相悅。

屬豬的趨吉避凶

十二生肖，無論流年運程是否吉利，均應知道如何去趨吉避凶，以便旺者得以錦上添花，而凶者則得以消災解禍！

以下將分為吉祥物、方位、顏色及吉數四個部份，提示屬豬的人如何去趨吉避凶。

吉祥物

在傳統的術數觀念中，宇宙萬物各有其相生相剋的特性，而那些對某個生肖特別有利之物，便是那個生肖的「吉祥物」。

擺放吉祥物在適宜的方位，可發揮其特有的生旺化煞作用，對改善流年運程大有幫助。

屬豬的人今年宜在東北方，或在床頭擺放一對以黑色石雕成的「勇攀高峰」來催旺。

集雅軒
ELEGANTCHARM

（圖片提供：集雅軒文化有限公司）

偽冒劣品充斥　慎防受騙失效

詳情請閱 11、178 至 194 頁

險峻的高峰，往往令人卻步；但對擅於攀爬的靈猴，卻是輕如易舉。兩隻精靈活潑的猴子，為了貪吃高山上的大壽桃，於是互相幫手，奮勇爬上高峰來攀摘，組成勇攀高峰的吉祥景象。

屬豬的人，今年命宮中的吉星寥寥可數，運勢平平；工作壓力沉重，獨力難支，必須與人合作，才可望脫穎而出。若想化煞生旺，可擺放一對「勇攀高峰」作為流年吉祥物。

屬豬的人今年宜在屋中或房中的東北，擺放一對以黑色石雕成的勇攀高峰來催旺；或擺放在床頭亦可！倘再隨身配戴藍色的勇攀高峰石墜作護身符，功效將更快更顯。

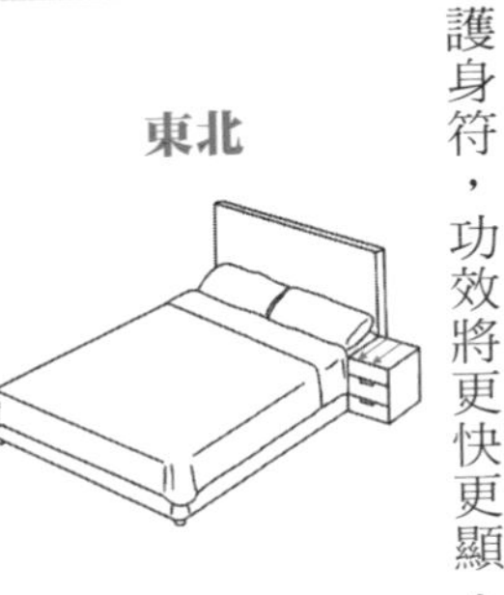

吉祥物因是以天然石塊雕刻，故此若有天然石紋是很自然的事，不足為慮！但若是在擺放過一段時間之後突有破損，這表示它曾以身擋災，原有功效已失，必須盡快更換替補。

必須一提的，是近年世界及中國各地均有很多不合規格的偽冒吉祥物充斥市場，令不少讀者受騙。其實，偽冒的吉祥物有如假藥一樣；假藥不能亂吃，假吉祥物當然亦不能亂擺！欲知如何能購買真貨，請看第十一及一七八頁便知詳情。

吉凶方位

屬豬的人今年的三個生旺吉方，是東北、西北及南方；若能把睡床、工作檯和沙發擺放在屋內這三個方位上，便可符合這生肖今年的風水趨吉之道，有助改善流年運程。

倘若未能如此，最少亦要把這三種最重要的家具避開東南及東方，以符合避凶之道。

以上所提出的吉凶方位，是純以生肖屬豬的人來計算；而與其它生肖無關，請勿混淆。

吉凶顏色

屬豬的人今年的生旺顏色是黑、灰及藍色；若能利用這些顏色來佈置房間或穿衣服，這會對改善流年運程將大有幫助。屬豬的人今年忌紅色及黃色，最好能盡量避免使用。

吉數

屬豬的人今年的生旺數字是二及九。

出生年：

一九九六
一九八四
一九七二
一九六〇
一九四八
一九三六

丙子年——一九九六年出生的人，今年學習情緒較易集中，若肯主動勤奮學習，定可名列前茅。腸胃易損，注意飲食衛生。

甲子年——一九八四年出生的人，今年易與異性擦出感情火花，但切勿太張揚。盡力改善人緣，得道多助，將可如虎添翼。

壬子年——一九七二年出生的人，今年玉堂吉星照命，若能把握時機，將可名成利就。密切注意交通安全，切勿貪一時之快。

庚子年——一九六〇年出生的人，今年工作進展暢順，但可惜易犯小人，必須懂得明哲保身，以免節外生枝而功敗垂成。

戊子年——一九四八年出生的人，今年財運甚佳，正財收入豐足；但橫財不利。必須有足夠休息睡眠，慎防積勞成疾。

丙子年——一九三六年出生的人，今年健康欠佳，必須小心調理保養，切勿諱疾忌醫！家中諸多是非，必須及早排解紛爭。

生肖屬鼠(子)的牛年運程

生肖屬鼠的人，今年運勢大有起色，一洗頹氣；正是奮發向上、收復前失的良機，因有「歲合」吉星坐鎮命宮，故此今年易得人緣，得道多助，正可如虎添翼！但努力工作之餘，亦需小心保養，慎防積勞成疾。事業方面，屬鼠的人今年「玉堂」吉星照命，顯示功名得志，求學可望金榜題名，事業則可望名成利就！但需防小人從中作梗，以致功敗垂成！今年的成敗關鍵，全在人緣方面，故此必須設法改善人緣。財運方面，屬鼠的人今年財運平穩，正財收入豐足，但橫財不利，切勿沉迷賭博。因有「病符」凶星出現在命宮中，今年屬鼠的人健康欠佳，必須密切注意飲食衛生；切勿諱疾忌醫，以免後悔莫及！屬鼠的人今年易與異性擦出感情火花，情投意合，但切勿太過高調張揚。

屬鼠的青少年

今年學習情緒較易集中，因此吸收知識能力大有改進；若肯主動勤奮學習，定可脫穎而出，名列前茅！今年腸胃容易受損，故此必須密切注意飲食衛生。此外，出門在外，必須密切注意交通安全，切勿貪一時之快。

屬鼠的婦女

今年家庭和順，夫妻感情良好；但可惜易招小人，故此必須謹口慎言，以免終日是非不斷！而最需要注意的，是家人健康。屬鼠的少女，今年感情豐富，易與異性投緣，感情生活多姿多采；但切勿太沉迷。

事業

屬鼠的人今年的運勢大有起色，正是奮發向上的大好時機！因有「歲合」吉星照命，故此今年易得人緣，可以獲得同事及客戶支持，正可如虎添翼。今年工作進展暢順的月份，是農曆正月、三月、七月、九月、十月及十二月，應好好把握時機。今年工作較多阻滯的月份，是農曆的二月、五月及十一月，在這三個月期間，處理工作必須格外小心謹慎。

財運

屬鼠的人今年的財運平穩，正財收入豐足，可考慮投資或購買物業，肯定有利可圖；但橫財不利，切勿沉迷賭博，以免焦頭爛額，後悔莫及！今年財運較多阻滯的月份，是農曆二月、四月、五月、六月及十一月。今年財運暢旺的月份，是農曆正月、三月、七月、十月及十二月，在以上幾個月可以作多元化投資，但切勿貪得無厭。

健康

屬鼠的人今年因有「病符」凶星照命，故些健康將會大受影響，易受疾病困擾；必須密切注意飲食衛生，切勿諱疾忌醫！今年健康容易出現問題的月份，是農曆的二月、四月、七月、八月及十一月。農曆五月需慎防血光之災、六月慎防水險。

感情

屬鼠的人今年人緣甚佳，與朋友及客戶均可和諧相處，而且易與異性擦出感情火花，情投意合，但切勿太過張揚，以免好事多磨。今年感情大有進展的月份，是農曆正月、三月、七月、九月、十月及十二月，應好好珍惜時機培養感情。

農曆正月（丙寅月）
西曆二〇〇九年二月四日——三月四日

●本月吉星拱照，春風得意

屬鼠的人今年命宮中吉星拱照，運勢大有起色，正宜奮發向上，大展鴻圖！新春氣勢如虹，工作開展暢順，而且又可獲貴人相助，肯定大有可為，切勿錯過大好良機！在這期間最重要的，是打好人際關係，主動與人聯絡溝通，表示友好親善，這將會對事業展發大有幫助。財星高照，財源廣進，正是投資創業或置產的良機。健康良好，但戒暴飲暴食。自有奇逢應早春，這個月易與異性擦出感情火花，情投意合。

農曆二月（丁卯月）
西曆二〇〇九年三月五日——四月三日

●本月風雲驟變，慎防小人

這個月因有「六害」凶星照命，故此運勢急轉直下，工作進度一波三折，而且又容易招惹小人，稍一處理不當，便很可能功敗垂成！在這段期間最重要的，是小心處理業務之餘，還需慎防小人，慎防被人從中構陷或是落井下石。財星破損，不宜投資及賭博，以免焦頭爛額！此外，並需慎防盜竊。健康欠佳，情緒緊張，易受頭痛失眠等疾病困擾。感情易起風波，必須小心維繫，切勿太感情用事，以免破裂。

農曆三月（戊辰月）
西曆二〇〇九年四月四日——五月四日

●本月時來運轉，得心應手

這個月的運勢大有好轉，工作得心應手，勢如破竹；若是要轉工或推行新方案，這是很適合的大好時機，但仍需慎防小人從中作梗！在這段期間最重要的，是要不斷自我增值，不斷自我進修，以配合未來發展的需要。財運大有起色，正財收入雖豐厚，但橫財則似是而非，不宜憧憬。這個月的健康情況尚可，但必須小心注意飲食衛生，以免病從口入。感情上的風波平息，風雨過後更添一番清新氣息。

農曆四月（己巳月）
西曆二〇〇九年五月五日——六月四日

○本月反覆向下，改善人緣

這個月的運勢先盛後衰，月初運勢暢旺，但月中便會開始出現困阻，而且還會出現諸多人事紛爭，以致工作進度易退難進！在這期間最重要的，是盡量設法改善人緣，設法找尋合作得來的伙伴，並要盡量避免觸犯小人，這樣才可減省工作上的沉重壓力。財運似是而非，暫時祇適宜節流，而不適宜開源；月尾慎防盜竊。這個月健康略有起色，但需慎防傳染病。情緒容易波動，因而影響感情進展，慎防感情失控。

農曆五月（庚午月）
西曆二〇〇九年六月五日——七月六日

●本月波折重重，處變不驚

這個月的運勢急轉直下，很多不如意事接連而來，必須先有心理準備，以免猝不及防以致手足無措！工作進展往往節外生枝，備受評擊！在這段期間最重要的，是要處變不驚，切勿輕舉妄動，以免根基動搖而一蹶不振！財運低沉，必須特別小心理財，以免錢財大量外洩而出現經濟危機！並要慎防被騙。這個月屬鼠的人容易招惹血光之災，必須小心注意安全第一。感情方面，慎防會有第三者闖入。

農曆六月（辛未月）
西曆二〇〇九年七月七日——八月六日

○本月暗湧潛伏，投資宜慎

這個月的運勢雖然略有好轉，但風波過後仍有暗湧潛伏，故此仍需保持警惕戒備，切勿掉以輕心，以免陰溝中翻船！在這段期間最重要的，是必須謹慎理財，切莫聽從別人慫恿而隨便盲目投資，以免血本無歸！此外，並需盡快清繳欠帳，以免後患無窮。工作方面需懂得避重就輕，分門別類來處理，切勿混淆一起。這個月仍需密切注意安全，特別是水上安全。感情進展有如逆水行舟，易退難進，必須小心維繫。

農曆七月（壬申月）
西曆二〇〇九年八月七日——九月六日

●本月吉星高照，投資獲利

這個月的運勢大有起色，福至心靈，工作得心應手，事半功倍；正宜乘時奮發，力爭上游！在這段期間最重要的，是必須盡量改善人緣，爭取同事以及客戶的支持，這樣才可以穩操勝券，確保成果。財運大有改善，正財收入豐足，適宜投資創業或者購置物業，可作多元化投資；但橫財不利，切勿沉迷，以免焦頭爛額。感情出現轉機，很可能愛火重燃，應好好珍惜機會。腸胃容易受損，必須密切注意飲食衛生。

農曆八月（癸酉月）
西曆二〇〇九年九月七日——十月七日

●本月病符照命，身心俱疲

這個月的運勢急轉直下，不如意事將會接連而來，必須小心戒備，保持警惕。因有「病符」凶星照命，故此健康易出問題！在這段期間最重要的，是必須小心保養身體，努力工作之餘，必須要有足夠休息，以免身心俱疲而積勞成疾。工作進展往往節外生枝，處理不慎便很可能功敗垂成；故此必須親力親為，全力以赴。財運反覆，暫時不宜作重大投資，以免血本無歸！感情若即若離，切勿捕風捉影而無風起浪。

農曆九月（甲戌月）
西曆二〇〇九年十月八日——十一月六日

●本月易得人緣，情投意合

這個月的運勢反覆向上，工作困阻將會逐漸消除，月中將可重新走上正軌。易得人緣，可獲同事及客戶支持，事半功倍！在這段期間最重要的，是得饒人處且饒人，對於別人的錯失應該多加諒解容忍，量大自然福大。財運先衰後盛，月中開始大有好轉，正財及橫財俱略有收獲，但切忌貪得無厭。感情風波消除，雨過天青，情投意合，甜蜜溫馨。健康略有改善，但仍需爭取足夠休息，慎防工作過勞。

農曆十月（乙亥月）
西曆二〇〇九年十一月七日——十二月六日

●本月氣勢如虹，脫穎而出

這個月因有「玉堂」吉星坐鎮在命宮中，顯示氣勢如虹，可望金榜題名，名成利就！在這段期間最重要的，是必須實事求是，堅決地向著既定目標奮進，切勿被勝利沖昏頭腦而臨時改變原來部署。財運頗佳，但可惜收入雖多，卻財來財去而難以積聚，故此必須小心理財。健康良好，身心康泰，但需小心注意牙齒及口腔護理。這個月易與異性擦出感情火花，但需保持克制警惕，以免失控有如脫韁野馬，後患無窮。

農曆十一月（丙子月）
西曆二〇〇九年十二月七日——一〇年一月四日

○本月謹口慎言，收斂鋒芒

這個月的運勢反覆回落，諸多阻滯，暗湧潛伏；幸而若能小心處理，將無大礙！但口舌衝突特多，稍一不慎，便會是非纏身！在這段期間最重要的，是必須保持低調，謹口慎言，以免被人捉著痛腳，乘虛而入以致功敗垂成。請記緊無論在事業或投資方面，均需極力收斂鋒芒，這樣才可確保成果。財運似是而非，投資方面宜守不宜攻。健康雖無大礙，但必須密切注意個人衛生。感情進展良好，但需防有人從中作梗。

農曆十二月（丁丑月）
西曆二〇一〇年一月五日——二月三日

●本月機緣巧合，奮發向上

這個月的運勢暢旺，很多懸而未解的困阻，至此均可一掃而空，大可邁步向前；正是奮發向上，爭取佳績的大好時機！在這期間最重要的，是爭取支持，同心協力向目標邁進！切勿獨斷獨行，否則成功機會大打折扣。財星高照，正財收入豐厚，有利投資創業或購買物業；但橫財則絕對不宜憧憬，尤以年尾為甚！健康略有起色，但必須避免過勞，以免病魔纏身。感情出現轉機，情投意合，很可能結出情花愛果。

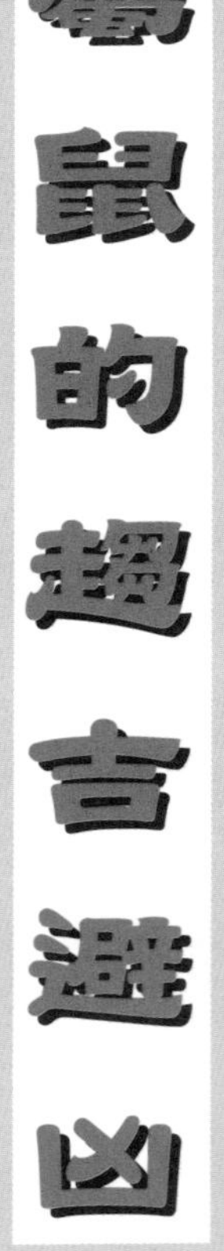

屬鼠的趨吉避凶

十二生肖，無論流年運程是否吉利，均應知道如何去趨吉避凶，以便旺者得以錦上添花，而凶者則得以消災解禍！

以下將分為吉祥物、方位、顏色及吉數四個部份，提示屬鼠的人如何去趨吉避凶。

吉祥物

在傳統的術數觀念中，宇宙萬物各有其相生相剋的特性，而那些對某個生肖特別有利之物，便是那個生肖的「吉祥物」。

擺放吉祥物在適宜的方位，可發揮其特有的生旺化煞作用，對改善流年運程大有幫助。

屬鼠的人今年宜在西北方，或在床頭擺放一對以翠綠色石雕成的「杏林春暖」來助旺。

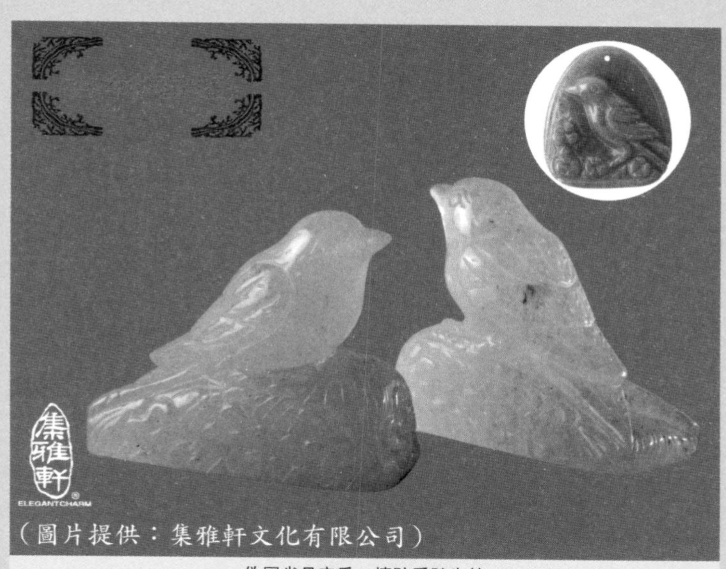

（圖片提供：集雅軒文化有限公司）

偽冒劣品充斥　慎防受騙失效

詳情請閱 11、178 至 194 頁

古時，杏林以及妙手回春均用以稱頌起死回生的大國手。一對生機蓬勃的燕子，在春回大地之際，飛到開滿杏花的杏林之中，組成健康茁長的吉祥景象。

屬鼠的人今年雖有眾多吉星拱照，運勢大有起色，可惜美中不足，是有「病符」凶星照命，顯示健康易出問題，必須小心保養。若想化煞催旺，可擺放一對「杏林春暖」作為吉祥物。

屬鼠的人今年宜在屋中或房中的西北，擺放一對以翠綠色石雕成的杏林春暖來助旺；或擺放在床頭亦可！倘再隨身配戴棕色的杏林春暖石墜作護身符，相輔相成，功效將更快更顯。

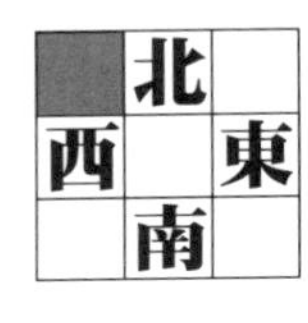

吉祥物因是以天然石塊雕刻，故此若有天然石紋是很自然的事，不足為慮！但若是在擺放過一段時間之後突有破損，這表示它曾以身擋災，原有功效已失，必須盡快更換替補。

必須一提的，是近年世界及中國各地均有很多不合規格的偽冒吉祥物充斥市場，令不少讀者受騙。其實，偽冒的吉祥物有如假藥一樣；假藥不能亂吃，假吉祥物當然亦不能亂擺！欲知如何能購買真貨，請看第十一及一七八頁便知詳情。

吉凶方位

屬鼠的人今年的三個生旺吉方，是西北、東南及東北；若能把睡床、工作檯和沙發擺放在屋內這三個方位上，便可符合這生肖今年的風水趨吉之道，有助改善流年運程。

倘若未能如此，最少亦要把這三種最重要的家具避開南方及西南，以符合避凶之道。

以上所提出的吉凶方位，是純以生肖屬鼠的人來計算；而與其它生肖無關，請勿混淆。

吉凶顏色

屬鼠的人今年的生旺顏色是綠、棕及黃色；若能利用這些顏色來佈置房間或穿衣服，這會對改善流年運程將大有幫助。屬鼠的人今年忌灰色及黑色，最好能盡量避免使用。

屬鼠的人今年的生旺數字是一及六。

牛年每日通勝

二〇〇九年西曆一月

本月節氣：小寒（節）農曆十二月初十未時
大寒（氣）農曆十二月廿五卯時

西曆一月	農曆月	農曆日	干支	沖忌	星期	（是日）宜	忌	是日吉時	財神方位
一日	十二月	初六	丙午	鼠	四	月破歲破大事勿用	諸事不宜	巳、申、酉、戌、亥	正西
二日		初七	丁未	牛	五	祭祀伐木	理髮畋獵	巳、未、酉、亥	正西
三日		初八	戊申	虎	六	嫁娶出行開市交易入學理髮移徙醞釀	安床修倉	丑、辰、巳、未、申	正北
四日		初九	己酉	兔	日	沐浴理髮畋獵掃舍	開市移徙	子、辰、巳、未、申	正北
五日	小寒	初十	庚戌	龍	一	祈福置產入學栽種動土開渠	出行交易	丑、申	正東
六日		十一	辛亥	蛇	二	祭祀沐浴放水理髮	嫁娶栽種	丑、寅、卯、戌	正東
七日		十二	壬子	馬	三	沐浴理髮	動土開市	子、丑、寅、卯、辰、巳	正南
八日		十三	癸丑	羊	四	會友	詞訟出行	子、丑、辰、巳、申、酉、戌	正南
九日		十四	甲寅	猴	五	訂婚掃舍動土作灶安床安葬	出行開倉	寅、辰、酉、戌	東南
十日		十五	乙卯	雞	六	祭祀開市立約嫁娶交易出行移徙安葬	栽種動土	寅、卯、申、戌、亥	東南
十一		十六	丙辰	狗	日	伐木整路	入學移徙	巳、申、酉、亥	正西
十二		十七	丁巳	豬	一	祭祀	嫁娶理髮	丑、巳、酉、戌	正西
十三		十八	戊午	鼠	二	日值歲破大事勿用	諸事不宜	卯、巳、申、酉	正北
十四		十九	己未	牛	三	日值月破大事勿用	諸事不宜	寅、卯、巳、申	正北
十五		二十	庚申	虎	四	出行納畜開市移徙立約交易動土安葬	安床結網	丑、辰、巳、申	正東

● 大吉／吉時　○ 吉日　○ 平日　● 不吉

日	西曆 一月	農曆 月	農曆 日	干支	沖忌	星期	（是日）宜	忌	子	丑	寅	卯	辰	巳	午	未	申	酉	戌	亥	財神方位
●	十六		廿一	辛酉	兔	五	嫁娶訂婚移徙動土出行立約開市安葬	會友開渠			●		●	●							正東
○	十七		廿二	壬戌	龍	六	祭祀捕捉	開倉動土			●	●		●					●	●	正南
○	十八		廿三	癸亥	蛇	日	會友	訂婚嫁娶			●	●	●						●	●	正南
○	十九		廿四	甲子	馬	一	祭祀醞釀沐浴裁衣塞穴安葬	動土置產	●	●	●		●				●				東南
○	二十	大寒	廿五	乙丑	羊	二	祭祀開倉納畜會友訂婚安葬	伐木栽種	●	●	●	●					●	●			東南
○	廿一		廿六	丙寅	猴	三	掃舍安門移徙沐浴苫蓋成服	修倉修廚	●			●						●			正西
○	廿二		廿七	丁卯	雞	四	祭祀成服	理髮動土			●										正西
○	廿三		廿八	戊辰	狗	五	飾垣	出行移徙		●		●		●			●	●			正北
●	廿四		廿九	己巳	豬	六	嫁娶會友立約理髮交易裁衣動土醞釀	置產出行	●		●						●				正北
●	廿五		卅十	庚午	鼠	日	日值歲破大事勿用	諸事不宜		●	●						●	●			正東
	廿六	正月大	初一	辛未	牛	一	農曆元旦　新春大吉　（日環食）	——			●	●		●			●				正東
○	廿七		初二	壬申	虎	二	祭祀沐浴理髮掃舍開市安葬	立約開渠	●	●		●	●	●				●			正南
●	廿八		初三	癸酉	兔	三	出行開市納財醞釀訂婚嫁娶移徙安葬	動土詞訟	●	●	●		●	●			●				正南
○	廿九		初四	甲戌	龍	四	祭祀納財捕捉畋獵	開市出行		●	●	●		●							東南
○	三十		初五	乙亥	蛇	五	祭祀會友納畜開市入學動土	栽種畋獵	●	●	●	●									東南
○	卅一		初六	丙子	馬	六	祭祀結網醞釀安葬	嫁娶移徙	●	●				●				●	●	●	正西

是日吉時：子 11PM - 01AM；丑 01AM - 03AM；寅 03AM - 05AM；卯 05PM - 07AM；辰 07PM - 09AM；巳 09AM - 11AM；午 11AM - 01PM；未 01PM - 03PM；申 03PM - 05PM；酉 05PM - 07PM；戌 07PM - 09PM；亥 09PM - 11AM

二〇〇九年西曆二月

西曆 二月	農曆 月	農曆 日	干支	沖忌	星期	（是日）宜	忌	子	丑	寅	卯	辰	巳	午	未	申	酉	戌	亥	財神方位
一日	正月大	初七	丁丑	羊	日	祭祀立約	伐木出行	●					●				●		●	正西
二日		初八	戊寅	猴	一	移徙安床作灶沐浴訂婚掃舍	出行安葬		●		●	●	●							正北
三日		初九	己卯	雞	二	日值四絕大事勿用	諸事不宜	●		●	●									正北
四日	立春	初十	庚辰	狗	三	祭祀祈福裁衣會友	動土開市		●	●		●	●	●					●	正東
五日		十一	辛巳	豬	四	祭祀整路	畋獵取魚		●	●			●	●				●		正東
六日		十二	壬午	鼠	五	祭祀開市嫁娶交易出行移徙動土安葬	開渠搭廁		●	●	●		●						●	正南
七日		十三	癸未	牛	六	日值歲破大事勿用	諸事不宜	●		●	●		●	●				●		正南
八日		十四	甲申	虎	日	日值月破大事勿用	諸事不宜	●	●			●	●				●			東南
九日	元宵節	十五	乙酉	兔	一	祭祀動土理髮沐浴掃舍安葬	嫁娶開市	●	●	●		●					●			東南
十日		十六	丙戌	龍	二	祭祀立約交易入學動土開市開倉安葬	出行栽種	●		●	●		●				●	●	●	正西
十一		十七	丁亥	蛇	三	祈福出行移徙開市交易立約動土栽種	理髮嫁娶		●	●				●			●	●	●	正西
十二		十八	戊子	馬	四	祭祀祈福沐浴入學	置產醞釀		●		●	●	●				●			正北
十三		十九	己丑	羊	五	安床作灶	移徙動土	●		●	●		●				●			正北
十四		二十	庚寅	猴	六	會友裁衣立約交易納畜納財	祭祀祈福		●	●	●	●								正東
十五		廿一	辛卯	雞	日	嫁娶開市出行移徙動土交易立約安葬	取魚畋獵			●	●		●	●				●		正東

本月節氣：
立春（節）農曆正月初十子時
雨水（氣）農曆正月廿四戌時

西曆二月	農曆月日	干支	沖忌	星期	(是日)宜	忌	財神方位
十六	廿二	壬辰	狗	一	開市交易動土嫁娶移徙出行納畜安葬	補垣塞穴	正南
十七	廿三	癸巳	豬	二	日值上朔大事勿用	諸事不宜	正南
十八	雨水 廿四	甲午	鼠	三	立約動土納畜出行結網嫁娶開市交易	開倉安葬	東南
十九	廿五	乙未	牛	四	日值歲破大事勿用	諸事不宜	東南
二十	廿六	丙申	虎	五	日值月破大事勿用	諸事不宜	正西
廿一	廿七	丁酉	兔	六	移徙掃舍嫁娶安床出行開市動土安葬	理髮會友	正西
廿二	廿八	戊戌	龍	日	入學補垣	動土開市	正北
廿三	廿九	己亥	蛇	一	祭祀祈福會友開市交易立約納畜栽種	嫁娶安葬	正北
廿四	三十	庚子	馬	二	祭祀安床沐浴入學	動土結網	正東
廿五	二月大 初一	辛丑	羊	三	祭祀結網補垣塞穴	開市嫁娶	正東
廿六	初二	壬寅	猴	四	交易納畜立約訂婚裁衣安葬	嫁娶開渠	正南
廿七	初三	癸卯	雞	五	理髮掃舍交易立約出行訂婚	詞訟穿井	正南
廿八	初四	甲辰	狗	六	祈福會友裁衣結網	修倉安葬	東南

是日吉時

		十六	十七	十八	十九	二十	廿一	廿二	廿三	廿四	廿五	廿六	廿七	廿八
11PM - 01AM	子		●		●	●			●				●	●
01AM - 03AM	丑	●		●		●	●	●		●	●	●		●
03AM - 05AM	寅	●		●	●				●		●	●	●	●
05PM - 07AM	卯	●	●		●			●	●		●	●	●	
07PM - 09AM	辰		●											●
09AM - 11AM	巳	●	●			●					●			
11AM - 01PM	午						●	●	●		●			
01PM - 03PM	未													
03PM - 05PM	申													
05PM - 07PM	酉	●		●		●	●			●				●
07PM - 09PM	戌		●		●	●						●	●	
09PM - 11AM	亥	●			●	●	●				●			●

西曆二月	十六	十七	十八	十九	二十	廿一	廿二	廿三	廿四	廿五	廿六	廿七	廿八
	●	●	●	●	●	●	○	●	○	○	○	○	○

● 大吉/吉時　○ 吉日　○ 平日　● 不吉

二〇〇九年西曆三月

本月節氣：
驚蟄（節）農曆二月初九酉時
春分（氣）農曆二月廿四戌時

西曆三月	農曆月	農曆日	干支	沖忌	星期	（是日）宜	忌	子	丑	寅	卯	辰	巳	午	未	申	酉	戌	亥	財神方位
一日	二月大	初五	乙巳	豬	日	整路	栽種移徙	●	●								●	●		東南
二日		初六	丙午	鼠	一	嫁娶開市交易動土訂婚安床安門安葬	蓋屋搭廁						●	●			●	●	●	正西
三日		初七	丁未	牛	二	日值歲破大事勿用	諸事不宜						●	●			●		●	正西
四日		初八	戊申	虎	三	日值月破大事勿用	諸事不宜		●			●	●							正北
五日	驚蟄	初九	己酉	兔	四	祭祀沐浴掃舍理髮取魚安葬	開倉會友	●				●	●	●						正北
六日		初十	庚戌	龍	五	祭祀交易安床安門嫁娶動土	結網栽種		●					●		●				正東
七日		十一	辛亥	蛇	六	交易出行動土入學作灶立約移徙開市	醞釀安葬		●	●	●			●				●		正東
八日		十二	壬子	馬	日	針灸栽種理髮捕捉	開渠作灶	●	●	●	●	●	●							正南
九日		十三	癸丑	羊	一	訂婚蓋屋作灶移徙入學出行安床安葬	立約詞訟	●	●			●	●			●		●		正南
十日		十四	甲寅	猴	二	裁衣動土立約交易栽種安葬	移徙開倉			●		●						●		東南
十一		十五	乙卯	雞	三	立約交易裁衣出行	動土栽種			●	●					●		●	●	東南
十二		十六	丙辰	狗	四	祭祀移徙出行種土掃舍理髮	修廚作灶						●			●			●	正西
十三		十七	丁巳	豬	五	祈福訂婚交易開市立約裁衣	出行動土		●				●	●				●		正西
十四		十八	戊午	鼠	六	祭祀裁衣整路飾垣	作灶安門				●		●			●				正北
十五		十九	己未	牛	日	日值歲破大事勿用	諸事不宜			●	●		●	●		●				正北

吉凶	西曆三月	農曆月日	干支	沖忌	星期	（是日）宜	忌	財神方位
○	十六	二十	庚申	虎	一	沐浴掃舍取魚捕捉	嫁娶開市	正東
●	十七	廿一	辛酉	兔	二	日值月破大事勿用	諸事不宜	正東
○	十八	廿二	壬戌	龍	三	作灶安門安床取魚	裁衣出行	正南
●	十九	廿三	癸亥	蛇	四	日值四離大事勿用	諸事不宜	正南
○	二十	廿四 春分	甲子	馬	五	祭祀捕捉栽種理髮	開市動土	東南
●	廿一	廿五	乙丑	羊	六	祈福嫁娶入學會友置產動土出行移徙	乘船取魚	東南
○	廿二	廿六	丙寅	猴	日	入學交易納財立約裁衣築堤	安床作灶	正西
●	廿三	廿七	丁卯	雞	一	祭祀移徙出行開倉訂婚立約裁衣會友	動土穿井	正西
○	廿四	廿八	戊辰	狗	二	理髮沐浴掃舍出行	交易開市	正北
○	廿五	廿九	己巳	豬	三	訂婚裁衣開倉納畜	出行移徙	正北
○	廿六	三十	庚午	鼠	四	祭祀作灶整路飾垣	築堤栽種	正東
●	廿七	三月小 初一	辛未	牛	五	日值歲破大事勿用	諸事不宜	正東
○	廿八	初二	壬申	虎	六	祭祀掃舍沐浴畋獵	開市出行	正南
●	廿九	初三	癸酉	兔	日	日值月破大事勿用	諸事不宜	正南
●	三十	初四	甲戌	龍	一	交易動土安床嫁娶移徙出行開市安葬	開倉乘船	東南
●	卅一	初五	乙亥	蛇	二	會友入學移徙裁衣出行結網納畜動土	栽種嫁娶	東南

是日吉時

時辰		十六	十七	十八	十九	二十	廿一	廿二	廿三	廿四	廿五	廿六	廿七	廿八	廿九	三十	卅一
子	11PM - 01AM					●	●	●			●			●	●		●
丑	01AM - 03AM	●				●	●			●		●		●	●	●	●
寅	03AM - 05AM		●	●	●	●	●		●		●	●	●		●	●	●
卯	05PM - 07AM			●	●		●	●		●			●	●		●	●
辰	07PM - 09AM	●	●		●	●								●	●		
巳	09AM - 11AM	●	●	●						●			●	●	●	●	
午	11AM - 01PM	●	●		●			●	●		●	●	●				
未	01PM - 03PM																
申	03PM - 05PM	●				●	●			●	●	●	●		●		
酉	05PM - 07PM																
戌	07PM - 09PM			●	●												
亥	09PM - 11AM			●	●												

大吉/吉時 ○吉日 ○平日 ●不吉

二〇〇九年西曆四月

本月節氣：
清明（節）農曆三月初九子時
穀雨（氣）農曆三月廿五卯時

西曆四月	農曆月	農曆日	干支	沖忌	星期	（是日）宜	忌	是日吉時	財神方位
一日	三月小	初六	丙子	馬	三	結網捕捉	祈福出行	子 丑 巳 戌 亥	正西
二日		初七	丁丑	羊	四	嫁娶出行開渠訂婚移徙置產納畜動土	理髮開市	子 巳 午 亥	正西
三日		初八	戊寅	猴	五	交易裁衣立約結網補垣醞釀	針灸畋獵	丑 卯 辰 巳 午	正北
四日	清明節	初九	己卯	雞	六	祭祀沐浴掃舍畋獵	出行開渠	子 寅 卯 午	正北
五日		初十	庚辰	狗	日	祭祀	結網安葬	丑 寅 辰 巳 午 亥	正東
六日		十一	辛巳	豬	一	理髮掃舍沐浴栽種	移徙出行	丑 寅 巳 午	正東
七日		十二	壬午	鼠	二	出行開市交易移徙嫁娶安葬	動土取魚	丑 寅 卯 巳 亥	正南
八日		十三	癸未	牛	三	日值歲破大事勿用	諸事不宜	子 寅 卯 巳 午	正南
九日		十四	甲申	虎	四	沐浴理髮安門掃舍	安床嫁娶	子 丑 辰 巳 申 酉	東南
十日		十五	乙酉	兔	五	訂婚嫁娶移徙作灶安門交易出行安葬	栽種動土	子 丑 寅 辰 申 酉	東南
十一		十六	丙戌	龍	六	日值月破大事勿用	諸事不宜	子 寅 卯 巳 申 酉 亥	正西
十二		十七	丁亥	蛇	日	移徙納畜納財安床動土栽種	嫁娶開倉	丑 寅 午 酉 亥	正西
十三		十八	戊子	馬	一	開市動土出行交易入學會友訂婚嫁娶	除服安葬	丑 卯 辰 巳 申 酉	正北
十四		十九	己丑	羊	二	祭祀作灶捕捉納財	開市出行	子 寅 卯 巳 申 酉	正北
十五		二十	庚寅	猴	三	入學訂婚開市立約交易移徙動土出行	結網乘船	丑 寅 卯 辰	正東

● 大吉/吉時 ○ 吉日 ○ 平日 ● 不吉

西曆 四月	農曆 月	農曆 日	干支	沖忌	星期	（是日）宜	忌	子 11PM - 01AM	丑 01AM - 03AM	寅 03AM - 05AM	卯 05PM - 07AM	辰 07PM - 09AM	巳 09AM - 11AM	午 11AM - 01PM	未 01PM - 03PM	申 03PM - 05PM	酉 05PM - 07PM	戌 07PM - 09PM	亥 09PM - 11AM	財神方位
○ 十六		廿一	辛卯	雞	四	理髮裁衣補垣塞穴	開渠開倉			●	●		●	●						正東
○ 十七		廿二	壬辰	狗	五	祭祀理髮	伐木栽種		●	●	●		●				●		●	正南
● 十八		廿三	癸巳	豬	六	日值上朔大事勿用	諸事不宜	●			●	●	●			●				正南
○ 十九		廿四	甲午	鼠	日	祭祀	開市醞釀		●	●							●			東南
● 二十	穀雨	廿五	乙未	牛	一	日值歲破大事勿用	諸事不宜	●		●	●					●			●	東南
○ 廿一		廿六	丙申	虎	二	祭祀沐浴掃舍裁衣	安床作灶	●	●				●			●	●		●	正西
● 廿二		廿七	丁酉	兔	三	嫁娶交易訂婚立約移徙出行納畜安葬	動土開渠		●					●			●		●	正西
● 廿三		廿八	戊戌	龍	四	日值月破大事勿用	諸事不宜		●		●			●		●				正北
○ 廿四		廿九	己亥	蛇	五	納畜納財安床沐浴取魚栽種	嫁娶安葬	●		●	●			●		●				正北
● 廿五	四月小	初一	庚子	馬	六	入學嫁娶立約動土出行開市交易醞釀	移徙結網		●							●	●			正東
○ 廿六		初二	辛丑	羊	日	祭祀捕捉取魚納畜	出行動土		●	●	●		●	●		●			●	正東
● 廿七		初三	壬寅	猴	一	動土置產出行交易開市入學嫁娶移徙	針灸畋獵		●	●	●									正南
○ 廿八		初四	癸卯	雞	二	補垣塞穴	醞釀栽種	●		●	●									正南
○ 廿九		初五	甲辰	狗	三	祭祀	交易出行	●	●	●		●					●		●	東南
○ 三十		初六	乙巳	豬	四	沐浴掃舍理髮作灶	動土安葬	●	●							●	●			東南

二〇〇九年西曆五月

本月節氣：
立夏（節）農曆四月十一申時
小滿（氣）農曆四月廿七卯時

西曆五月	農曆月	農曆日	干支	沖忌	星期	（是日）宜	忌	子	丑	寅	卯	辰	巳	午	未	申	酉	戌	亥	財神方位
一日	四月	初七	丙午	鼠	五	祭祀成服	修廚作灶						●	●		●	●		●	正西
二日		初八	丁未	牛	六	日值歲破大事勿用	諸事不宜						●	●			●		●	正西
三日		初九	戊申	虎	日	掃舍沐浴安門納畜	開市交易		●			●	●			●				正北
四日		初十	己酉	兔	一	日值四絕大事勿用	諸事不宜	●				●	●	●		●				正北
五日	立夏	十一	庚戌	龍	二	日值月破大事勿用	諸事不宜		●					●		●				正東
六日		十二	辛亥	蛇	三	日值月破大事勿用	諸事不宜		●	●	●			●				●		正東
七日		十三	壬子	馬	四	祭祀掃舍沐浴理髮	嫁娶出行	●	●	●	●	●	●							正南
八日		十四	癸丑	羊	五	出行入學立約交易開市動土安床安葬	乘船取魚	●	●			●	●			●	●	●		正南
九日		十五	甲寅	猴	六	捕捉	開倉開市			●		●					●	●		東南
十日		十六	乙卯	雞	日	嫁娶置產動土出行移徙開市交易立約	栽種伐木			●	●					●		●		東南
十一		十七	丙辰	狗	一	祭祀	交易動土						●			●	●			正西
十二		十八	丁巳	豬	二	裁衣塞穴	出行嫁娶		●				●	●			●	●		正西
十三		十九	戊午	鼠	三	祭祀安門作灶沐浴掃舍安葬	蓋屋搭廁				●		●			●	●			正北
十四		二十	己未	牛	四	日值歲破大事勿用	諸事不宜			●	●		●	●		●				正北
十五		廿一	庚申	虎	五	會友交易開市移徙立約出行動土安葬	結網畋獵		●			●	●	●		●				正東

● 大吉/吉時 ○ 吉日 ○ 平日 ● 不吉

西曆 五月	吉凶	農曆 月日	節日	干支	沖忌	星期	（是日）宜	忌	財神方位
十六	● 大吉	廿二		辛酉	兔	六	嫁娶動土立約出行訂婚開市栽種安葬	會友醞釀	正東
十七	○ 平日	廿三		壬戌	龍	日	會友理髮沐浴捕捉	立約開市	正南
十八	● 不吉	廿四		癸亥	蛇	一	日值月破大事勿用	諸事不宜	正南
十九	○ 吉日	廿五		甲子	馬	二	祭祀裁衣會友沐浴理髮成服	置產栽種	東南
二十	● 大吉	廿六		乙丑	羊	三	祈福開市出行嫁娶入學交易動土安葬	移徙作灶	東南
廿一	● 大吉	廿七	小滿	丙寅	猴	四	出行裁衣捕捉會友交易移徙嫁娶立約	修倉置產	正西
廿二	○ 平日	廿八		丁卯	雞	五	祭祀入學安門栽種	畋獵理髮	正西
廿三	○ 平日	廿九		戊辰	狗	六	祭祀祈福補垣塞穴	開市出行	正北
廿四	○ 平日	初一	五月大	己巳	豬	日	結網	訂婚動土	正北
廿五	● 大吉	初二		庚午	鼠	一	出行會友裁衣動土嫁娶理髮納畜安葬	結網取魚	正東
廿六	● 不吉	初三		辛未	牛	二	日值歲破大事勿用	諸事不宜	正東
廿七	○ 平日	初四		壬申	虎	三	祭祀沐浴掃舍整路	築堤開渠	正南
廿八	● 大吉	初五	端午節	癸酉	兔	四	交易開市出行移徙動土入學嫁娶安葬	詞訟栽種	正南
廿九	○ 吉日	初六		甲戌	龍	五	理髮安床嫁娶沐浴捕捉動土	立約交易	東南
三十	● 不吉	初七		乙亥	蛇	六	日值月破大事勿用	諸事不宜	東南
卅一	○ 吉日	初八		丙子	馬	日	裁衣栽種動土安床移徙出行	取魚畋獵	正西

是日吉時

時辰	時間	十六	十七	十八	十九	二十	廿一	廿二	廿三	廿四	廿五	廿六	廿七	廿八	廿九	三十	卅一
子	11PM - 01AM				●	●	●			●			●	●		●	●
丑	01AM - 03AM				●	●			●		●		●	●	●	●	●
寅	03AM - 05AM	●	●	●	●	●		●		●	●	●		●	●	●	
卯	05PM - 07AM		●	●		●	●		●			●	●		●	●	
辰	07PM - 09AM	●		●	●								●	●			
巳	09AM - 11AM	●	●						●			●	●	●	●		●
午	11AM - 01PM	●		●			●	●		●	●	●					
未	01PM - 03PM																
申	03PM - 05PM				●	●			●	●	●	●		●			
酉	05PM - 07PM					●	●		●		●		●				●
戌	07PM - 09PM		●	●													●
亥	09PM - 11AM																

二〇〇九年西曆六月

本月節氣：芒種（節）農曆五月十三戌時
夏至（氣）農曆五月廿九未時

西曆 六月	農曆 月	農曆 日	干支	沖忌	星期	（是日）宜	忌	是日吉時	財神方位
一日	五月大	初九	丁丑	羊	一	訂婚動土立約納畜開市交易出行築堤	詞訟移徙	子 巳 午 酉	正西
二日		初十	戊寅	猴	二	捕捉取魚	嫁娶出行	丑 卯 辰 巳 午	正北
三日		十一	己卯	雞	三	祭祀出行會友入學	開渠穿井	子 寅 卯 午	正北
四日		十二	庚辰	狗	四	祭祀立約交易出行動土安葬	結網針灸	丑 寅 辰 巳 午	正東
五日	芒種	十三	辛巳	豬	五	祈福訂婚裁衣移徙嫁娶納畜	動土伐木	丑 寅 巳 午 戌	正東
六日		十四	壬午	鼠	六	祭祀交易	安門作灶	丑 寅 卯 巳 亥	正南
七日		十五	癸未	牛	日	日值歲破大事勿用	諸事不宜	寅 卯 巳 午 戌	正南
八日		十六	甲申	虎	一	開市移徙動土掃舍納畜出行嫁娶安葬	安床開倉	丑 辰 巳 申 酉	東南
九日		十七	乙酉	兔	二	整路飾垣掃舍理髮	移徙出行	丑 寅 辰 申 酉	東南
十日		十八	丙戌	龍	三	嫁娶栽種納畜動土移徙訂婚立約安葬	伐木作灶	寅 卯 巳 申 酉 戌 亥	正西
十一		十九	丁亥	蛇	四	祭祀祈福沐浴捕捉	交易開市	丑 寅 午 酉 戌 亥	正西
十二		二十	戊子	馬	五	日值月破大事勿用	諸事不宜	丑 卯 辰 巳 申 酉	正北
十三		廿一	己丑	羊	六	祭祀結網	補垣塞穴	寅 卯 巳 申 酉	正北
十四		廿二	庚寅	猴	日	出行開市安床會友入學交易動土安葬	裁衣移徙	丑 寅 卯 辰	正東
十五		廿三	辛卯	雞	一	祭祀飾垣	醞讓栽種	寅 卯 巳 午 戌	正東

●大吉/吉時　○吉日　○平日　●不吉

西曆 六月		農曆 月	農曆 日	干支	沖忌	星期	(是日)宜	忌	是日吉時	財神方位
十六	●		廿四	壬辰	狗	二	祭祀出行置產動土栽種裁衣訂婚入學	開渠開倉	丑寅卯巳酉亥	正南
十七	●		廿五	癸巳	豬	三	日值上朔大事勿用	諸事不宜	卯辰巳申戌	正南
十八	○		廿六	甲午	鼠	四	祭祀飾垣	動土栽種	丑寅酉	東南
十九	●		廿七	乙未	牛	五	日值歲破大事勿用	諸事不宜	寅卯申戌亥	東南
二十	●		廿八	丙申	虎	六	日值四離大事勿用	諸事不宜	丑巳申酉戌亥	正西
廿一	○	夏至	廿九	丁酉	兔	日	飾垣整路沐浴掃舍	出行開市	丑午酉亥	正西
廿二	●		三十	戊戌	龍	一	交易動土立約開市嫁娶出行移徙醞釀	栽種裁衣	丑卯午申	正北
廿三	○	閏五月	初一	己亥	蛇	二	祭祀沐浴結網捕捉	嫁娶動土	寅卯午申	正北
廿四	●		初二	庚子	馬	三	日值月破大事勿用	諸事不宜	丑申酉	正東
廿五	○		初三	辛丑	羊	四	祭祀會友	醞釀出行	丑寅卯巳午申亥	正東
廿六	●		初四	壬寅	猴	五	開市交易納財嫁娶動土結網栽種出行	移徙開渠	丑寅卯戌	正南
廿七	○		初五	癸卯	雞	六	祭祀結網	動土開市	寅卯戌	正南
廿八	○		初六	甲辰	狗	日	祭祀祈福出行入學	交易飾垣	丑寅辰酉亥	東南
廿九	○		初七	乙巳	豬	一	裁衣築堤補垣塞穴	出行栽種	丑申酉戌	東南
三十	○		初八	丙午	鼠	二	祭祀	開市動土	巳午申酉戌亥	正西

子 11PM - 01AM　丑 01AM - 03AM　寅 03AM - 05AM　卯 05PM - 07AM　辰 07PM - 09AM　巳 09AM - 11AM　午 11AM - 01PM　未 01PM - 03PM　申 03PM - 05PM　酉 05PM - 07PM　戌 07PM - 09PM　亥 09PM - 11AM

二〇〇九年西曆七月

西曆七月	農曆月	農曆日	干支	沖忌	星期	（是日）宜	忌	子	丑	寅	卯	辰	巳	午	未	申	酉	戌	亥	財神方位
一日	閏五月	初九	丁未	牛	三	日值歲破大事勿用	諸事不宜						●	●			●		●	正西
二日		初十	戊申	虎	四	祈福動土裁衣出行移徙開市補垣嫁娶	安床修倉		●			●	●			●				正北
三日		十一	己酉	兔	五	祭祀沐浴理髮掃舍整路飾垣	修廚作灶					●	●	●		●				正北
四日		十二	庚戌	龍	六	祈福交易嫁娶訂婚開市立約出行動土	結網栽種		●					●		●				正東
五日		十三	辛亥	蛇	日	祭祀沐浴會友捕捉	嫁娶開市		●	●	●			●				●		正東
六日		十四	壬子	馬	一	日值月破大事勿用	諸事不宜		●	●	●	●	●							正南
七日	小暑	十五	癸丑	羊	二	日值月破大事勿用	諸事不宜					●	●			●	●	●		正南
八日		十六	甲寅	猴	三	開市裁衣動土安床交易出行移徙安葬	祭祀開倉			●		●					●	●		東南
九日		十七	乙卯	雞	四	嫁娶入學交易動土出行移徙開市安葬	祭祀祈福			●	●					●		●	●	東南
十日		十八	丙辰	狗	五	祭祀捕捉納財納畜	安床動土						●			●	●		●	正西
十一		十九	丁巳	豬	六	栽種開渠放水入學	出行安葬						●	●			●	●		正西
十二		二十	戊午	鼠	日	結網塞穴	動土嫁娶				●		●			●	●			正北
十三		廿一	己未	牛	一	日值歲破大事勿用	諸事不宜			●	●		●			●				正北
十四		廿二	庚申	虎	二	沐浴掃舍動土安葬	結網裁衣					●	●	●		●				正東
十五		廿三	辛酉	兔	三	出行立約嫁娶開市掃舍入學交易安葬	針灸動土			●		●	●	●						正東

（子至亥欄為「是日吉時」，●為吉時）

本月節氣：
小暑（節）農曆閏五月十五辰時
大暑（氣）農曆六月初二日子時

● 大吉/吉時 ○ 吉日 ○ 平日 ● 不吉

西曆 七月	農曆 月日	干支	沖忌	星期	（是日）宜	忌	是日吉時	財神方位	
十六	廿四	壬戌	龍	四	掃舍納畜結網捕捉	移徙醞釀	寅 卯 巳 戌 亥	正南	○
十七	廿五	癸亥	蛇	五	沐浴掃舍	詞訟嫁娶	寅 卯 辰 午 戌 亥	正南	○
十八	廿六	甲子	馬	六	嫁娶裁衣安床理髮訂婚動土出行安葬	畋獵取魚	子 寅 辰 申	東南	● 大吉
十九	廿七	乙丑	羊	日	日值月破大事勿用	諸事不宜	子 寅 卯 申 酉	東南	● 不吉
二十	廿八	丙寅	猴	一	立約交易栽種會友嫁娶納畜開市安葬	安床作灶	子 卯 午 酉	正西	● 大吉
廿一	廿九	丁卯	雞	二	出行動土移徙入學開市交易立約嫁娶	理髮開池	寅 午	正西	● 大吉
廿二	六月小 初一	戊辰	狗	三	是日日食大事勿用（日全食）	諸事不宜	卯 巳 申 酉	正北	● 不吉
廿三	大暑 初二	己巳	豬	四	祭祀入學	出行動土	子 寅 午 申	正北	○
廿四	初三	庚午	鼠	五	補垣塞穴捕捉醞釀	裁衣交易	寅 午 申 酉	正東	○
廿五	初四	辛未	牛	六	日值歲破大事勿用	諸事不宜	寅 卯 巳 午 申	正東	● 不吉
廿六	初五	壬申	虎	日	祭祀理髮掃舍沐浴	開倉開渠	子 卯 辰 巳 酉	正南	○
廿七	初六	癸酉	兔	一	祭祀沐浴伐木掃舍	詞訟針灸	子 寅 辰 巳 申	正南	○
廿八	初七	甲戌	龍	二	祭祀飾垣	嫁娶出行	寅 卯 巳	東南	○
廿九	初八	乙亥	蛇	三	動土會友立約交易納畜納財裁衣結網	乘船取魚	子 寅 卯	東南	● 大吉
三十	初九	丙子	馬	四	理髮捕捉	開市作灶	子 巳 酉 戌 亥	正西	○
卅一	初十	丁丑	羊	五	日值月破大事勿用	諸事不宜	子 巳 午 酉 亥	正西	● 不吉

子 11PM - 01AM；丑 01AM - 03AM；寅 03AM - 05AM；卯 05PM - 07AM；辰 07PM - 09AM；巳 09AM - 11AM；午 11AM - 01PM；未 01PM - 03PM；申 03PM - 05PM；酉 05PM - 07PM；戌 07PM - 09PM；亥 09PM - 11AM

二〇〇九年西曆八月

本月節氣：
立秋（節）農曆六月十七酉時
處暑（氣）農曆七月初四辰時

西曆八月	農曆月	農曆日	干支	沖忌	星期	（是日）宜	忌	子	丑	寅	卯	辰	巳	午	未	申	酉	戌	亥	財神方位
一日	六月	十一	戊寅	猴	六	訂婚安床裁衣出行開市交易立約修倉	買田置業				●	●	●	●						正北
二日		十二	己卯	雞	日	祭祀開市動土納畜栽種出行移徙嫁娶	穿井取魚	●		●	●			●						正北
三日		十三	庚辰	狗	一	祭祀栽種納財捕捉	安床醞釀			●		●	●	●					●	正東
四日		十四	辛巳	豬	二	針灸入學	出行詞訟			●			●	●				●		正東
五日		十五	壬午	鼠	三	結網醞釀塞穴安葬	栽種納畜			●	●		●						●	正南
六日		十六	癸未	牛	四	歲破四絕大事勿用	諸事不宜	●		●	●		●	●				●		正南
七日	立秋	十七	甲申	虎	五	嫁娶訂婚理髮動土出行移徙開市安葬	畋獵開倉	●				●	●			●	●			東南
八日		十八	乙酉	兔	六	理髮掃舍除服安葬	嫁娶栽種	●	●			●				●	●			東南
九日		十九	丙戌	龍	日	栽種飾垣結網納畜	動土理髮	●			●		●			●	●	●	●	正西
十日		二十	丁亥	蛇	一	訂婚納畜出行移徙	理髮開渠		●					●			●	●	●	正西
十一		廿一	戊子	馬	二	開市交易訂婚出行嫁娶動土移徙安葬	置產畋獵		●		●	●	●			●	●			正北
十二		廿二	己丑	羊	三	結網栽種納畜捕捉	開市出行	●			●		●			●	●			正北
十三		廿三	庚寅	猴	四	日值月破大事勿用	諸事不宜		●		●	●								正東
十四		廿四	辛卯	雞	五	祭祀理髮會友除服	移徙動土				●		●	●				●		正東
十五		廿五	壬辰	狗	六	入學立約交易開市訂婚會友納畜安葬	開渠作灶		●		●		●				●		●	正南

● 大吉/吉時 ○ 吉日 ○ 平日 ● 不吉

西曆 八月	十六	十七	十八	十九	二十	廿一	廿二	廿三	廿四	廿五	廿六	廿七	廿八	廿九	三十	卅一
	●	●	●	○	●	●	○	●	○	●	●	○	●	○	○	○
農曆 月					七月大			處暑								
農曆 日	廿六	廿七	廿八	廿九	初一	初二	初三	初四	初五	初六	初七	初八	初九	初十	十一	十二
干支	癸巳	甲午	乙未	丙申	丁酉	戊戌	己亥	庚子	辛丑	壬寅	癸卯	甲辰	乙巳	丙午	丁未	戊申
沖忌	豬	鼠	牛	虎	兔	龍	蛇	馬	羊	猴	雞	狗	豬	鼠	牛	虎
星期	日	一	二	三	四	五	六	日	一	二	三	四	五	六	日	一
（是日）宜	日值上朔大事勿用	出行入學安床理髮交易立約嫁娶動土	日值歲破大事勿用	納畜納財沐浴掃舍出行裁衣	祭祀祈福裁衣動土訂婚安床掃舍安葬	開市移徙嫁娶交易立約出行動土安葬	祭祀沐浴整路飾垣	祈福裁衣出行移徙開市立約交易醞釀	捕捉畋獵	日值月破大事勿用	嫁娶會友立約納畜交易移徙出行安葬	祭祀捕捉會友入學	訂婚嫁娶交易立約醞釀納畜會友開市	祭祀安床入學出行動土開渠	祭祀入學	祈福理髮出行移徙嫁娶安葬
忌	諸事不宜	蓋屋醞釀	諸事不宜	安床開渠	理髮出行	取魚畋獵	動土嫁娶	結網栽種	嫁娶開市	諸事不宜	詞訟動土	開市嫁娶	栽種出行	搭廁修廚	交易醞釀	安床置產
是日吉時 子 11PM - 01AM	●		●	●			●				●	●	●			
丑 01AM - 03AM		●		●	●	●		●	●	●		●	●			●
寅 03AM - 05AM																
卯 05PM - 07AM	●		●			●	●		●	●	●					
辰 07PM - 09AM	●											●				●
巳 09AM - 11AM	●			●					●					●	●	●
午 11AM - 01PM					●	●	●		●					●	●	
未 01PM - 03PM																
申 03PM - 05PM	●		●	●		●	●	●	●				●	●		●
酉 05PM - 07PM		●		●	●			●				●	●	●	●	
戌 07PM - 09PM	●		●	●						●	●		●	●		
亥 09PM - 11AM			●	●	●				●			●		●	●	
財神方位	正南	東南	東南	正西	正西	正北	正北	正東	正東	正南	正南	東南	東南	正西	正西	正北

二〇〇九年西曆九月

本月節氣：白露（節）農曆七月十九戌時
秋分（氣）農曆八月初五卯時

西曆九月	農曆月	農曆日	干支	沖忌	星期	（是日）宜	忌	是日吉時	財神方位
一日	七月	十三	己酉	兔	二	理髮沐浴掃舍安葬	嫁娶立約	子 辰 巳 午 申	正北
二日		十四	庚戌	龍	三	補垣塞穴納畜栽種	結網納財	丑 午 申	正東
三日	孟蘭節	十五	辛亥	蛇	四	祭祀沐浴整路飾垣	訂婚嫁娶	丑 卯 午 戌	正東
四日		十六	壬子	馬	五	嫁娶移徙出行交易動土開市立約安葬	開渠放水	子 丑 卯 辰 巳	正南
五日		十七	癸丑	羊	六	祈福納畜栽種動土捕捉出行開倉安葬	移徙詞訟	子 丑 辰 巳 申 酉 戌	正南
六日		十八	甲寅	猴	日	日值月破大事勿用	諸事不宜	辰 酉 戌	東南
七日	白露	十九	乙卯	雞	一	祭祀安葬	出行開市	卯 申 戌 亥	東南
八日		二十	丙辰	狗	二	交易立約動土開渠栽種入學	作灶塞穴	巳 申 酉 亥	正西
九日		廿一	丁巳	豬	三	開市訂婚嫁娶移徙立約交易安床動土	理髮出行	丑 巳 午 酉 戌	正西
十日		廿二	戊午	鼠	四	祭祀捕捉	動土交易	巳 申 酉	正北
十一		廿三	己未	牛	五	日值歲破大事勿用	諸事不宜	寅 巳 午 申	正北
十二		廿四	庚申	虎	六	祭祀裁衣掃舍理髮交易立約醞釀安葬	安床結網	丑 辰 巳 午 申	正東
十三		廿五	辛酉	兔	日	祭祀出行沐浴掃舍	嫁娶作灶	寅 辰 巳 午	正東
十四		廿六	壬戌	龍	一	動土掃舍出行沐浴栽種移徙	開倉開渠	寅 巳 戌 亥	正南
十五		廿七	癸亥	蛇	二	祭祀沐浴安床出行	詞訟嫁娶	寅 辰 午 戌 亥	正南

● 大吉／吉時　○ 吉日　○ 平日　● 不吉

西曆九月	農曆月	農曆日	干支	沖忌	星期	（是日）宜	忌	是日吉時	財神方位	日
十六		廿八	甲子	馬	三	祭祀掃舍整路飾垣	安床開倉	子丑寅辰申	東南	○ 平日
十七		廿九	乙丑	羊	四	訂婚嫁娶出行開市交易立約動土安葬	取魚栽種	子丑寅申酉	東南	● 大吉
十八		三十	丙寅	猴	五	捕捉沐浴伐木除服	置產作灶	子午酉	正西	○ 平日
十九	八月小	初一	丁卯	雞	六	日值月破大事勿用	諸事不宜	寅午	正西	● 不吉
二十		初二	戊辰	狗	日	祭祀入學栽種結網	開渠修倉	丑巳申酉	正北	○ 平日
廿一		初三	己巳	豬	一	開市移徙交易動土入學栽種立約嫁娶	出行安葬	子寅午申	正北	● 大吉
廿二		初四	庚午	鼠	二	日值四離大事勿用	諸事不宜	丑寅午申酉	正東	● 不吉
廿三	秋分	初五	辛未	牛	三	日值歲破大事勿用	諸事不宜	寅巳午申	正東	● 不吉
廿四		初六	壬申	虎	四	築堤結網掃舍栽種理髮安葬	嫁娶針灸	子丑辰巳酉	正南	○ 吉日
廿五		初七	癸酉	兔	五	祭祀掃舍	移徙出行	子丑寅辰巳申	正南	○ 平日
廿六		初八	甲戌	龍	六	祭祀沐浴理髮掃舍栽種出行	開市嫁娶	丑寅巳	東南	○ 吉日
廿七		初九	乙亥	蛇	日	出行動土交易移徙立約裁衣納畜納財	栽種取魚	子丑寅	東南	● 大吉
廿八		初十	丙子	馬	一	祭祀沐浴飾垣整路	安床作灶	子丑巳酉戌亥	正西	○ 平日
廿九		十一	丁丑	羊	二	嫁娶開市立約交易動土醞釀	理髮置產	子巳午酉亥	正西	○ 吉日
三十		十二	戊寅	猴	三	沐浴理髮作灶捕捉	祈福開倉	丑辰巳午	正北	○ 平日

子	11PM - 01AM
丑	01AM - 03AM
寅	03AM - 05AM
卯	05PM - 07AM
辰	07PM - 09AM
巳	09AM - 11AM
午	11AM - 01PM
未	01PM - 03PM
申	03PM - 05PM
酉	05PM - 07PM
戌	07PM - 09PM
亥	09PM - 11AM

二〇〇九年西曆十月

本月節氣：

寒露（節）農曆八月二十午時

霜降（氣）農曆九月初六未時

西曆 十月	農曆 月	農曆 日	干支	沖忌	星期	（是日）宜	忌	是日吉時	財神方位
一日	八月	十三	己卯	雞	四	日值月破大事勿用	諸事不宜	子 寅 午	正北
二日		十四	庚辰	狗	五	祈福交易嫁娶開市出行移徙安床安葬	取魚結網	丑 寅 辰 巳 午 亥	正東
三日	中秋節	十五	辛巳	豬	六	祭祀移徙入學訂婚交易動土開市嫁娶	出行安葬	丑 寅 巳 午 戌	正東
四日		十六	壬午	鼠	日	祭祀補垣	嫁娶置產	丑 寅 巳 亥	正南
五日		十七	癸未	牛	一	日值歲破大事勿用	諸事不宜	子 寅 巳 午 戌	正南
六日		十八	甲申	虎	二	裁衣醞釀理髮築堤栽種安葬	開倉動土	子 丑 辰 巳 申 酉	東南
七日		十九	乙酉	兔	三	掃舍沐浴	栽種開渠	子 丑 寅 辰 申 酉	東南
八日	寒露	二十	丙戌	龍	四	移徙交易開市安床嫁娶訂婚出行安葬	動土作灶	子 寅 巳 申 酉 戌 亥	正西
九日		廿一	丁亥	蛇	五	祭祀沐浴安床結網	置產安葬	丑 寅 午 酉 戌 亥	正西
十日		廿二	戊子	馬	六	祭祀安床結網沐浴	立約嫁娶	丑 卯 巳 申 酉	正北
十一		廿三	己丑	羊	日	飾垣整路	出行開市	子 寅 卯 巳 申 酉	正北
十二		廿四	庚寅	猴	一	捕捉安葬	移徙嫁娶	丑 寅 卯	正東
十三		廿五	辛卯	雞	二	嫁娶動土會友出行訂婚交易開市安葬	裁衣開渠	寅 卯 巳 午 戌	正東
十四		廿六	壬辰	狗	三	日值月破大事勿用	諸事不宜	丑 寅 卯 巳 酉 亥	正南
十五		廿七	癸巳	豬	四	日值上朔大事勿用	諸事不宜	子 卯 巳 申 戌	正南

● 大吉/吉時　○ 吉日　○ 平日　● 不吉

西曆 十月	農曆 月日	干支	沖忌	星期	（是日）宜	忌	子 11PM - 01AM	丑 01AM - 03AM	寅 03AM - 05AM	卯 05PM - 07AM	辰 07PM - 09AM	巳 09AM - 11AM	午 11AM - 01PM	未 01PM - 03PM	申 03PM - 05PM	酉 05PM - 07PM	戌 07PM - 09PM	亥 09PM - 11AM	財神方位	
十六	廿八	甲午	鼠	五	動土嫁娶立約出行入學開市交易安葬	苫蓋搭廁		●	●							●			東南	●
十七	廿九	乙未	牛	六	日值歲破大事勿用	諸事不宜	●		●	●					●		●	●	東南	●
十八	九月大 初一	丙申	虎	日	嫁娶出行開市移徙動土訂婚置產納畜	畋獵作灶	●	●				●			●	●	●	●	正西	●
十九	初二	丁酉	兔	一	祭祀掃舍補垣塞穴	開市移徙		●					●			●		●	正西	○
二十	初三	戊戌	龍	二	苫蓋搭廁	交易安葬		●		●			●		●				正北	○
廿一	初四	己亥	蛇	三	掃舍沐浴結網裁衣	嫁娶動土	●		●	●			●		●				正北	○
廿二	初五	庚子	馬	四	祭祀開渠穿井沐浴成服除服	結網開市		●							●	●			正東	○
廿三	霜降 初六	辛丑	羊	五	祭祀結網	交易嫁娶		●	●	●		●	●		●			●	正東	○
廿四	初七	壬寅	猴	六	結網除服	動土出行		●	●	●							●		正南	○
廿五	初八	癸卯	雞	日	嫁娶會友出行栽種移徙動土醞釀安葬	開市詞訟	●		●	●							●		正南	●
廿六	重陽節 初九	甲辰	狗	一	日值月破大事勿用	諸事不宜	●	●	●							●		●	東南	●
廿七	初十	乙巳	豬	二	祭祀安床裁衣畋獵	出行栽種	●	●							●	●	●		東南	○
廿八	十一	丙午	鼠	三	動土立約開市嫁娶交易入學移徙安葬	取魚畋獵						●	●		●	●	●	●	正西	●
廿九	十二	丁未	牛	四	日值歲破大事勿用	諸事不宜						●	●			●		●	正西	●
三十	十三	戊申	虎	五	訂婚嫁娶移徙出行入學動土開渠開市	安床伐木		●				●			●				正北	●
卅一	十四	己酉	兔	六	理髮掃舍補垣塞穴	針灸開倉	●					●	●		●				正北	○

二〇〇九年西曆十一月

本月節氣：立冬（節）農曆九月廿一未時
小雪（氣）農曆十月初六午時

	西曆 十一月	農曆 月	農曆 日	干支	沖忌	星期	（是日）宜	忌	是日吉時	財神方位
○	一日	九月	十五	庚戌	龍	日	祭祀裁衣納財納畜出行移徙	結網行喪	丑、午、申	正東
○	二日		十六	辛亥	蛇	一	會友理髮移徙出行裁衣納畜	醞釀開市	丑、寅、卯、午、戌	正東
○	三日		十七	壬子	馬	二	祭祀沐浴出行安葬	裁衣嫁娶	子、丑、寅、卯、巳	正南
○	四日		十八	癸丑	羊	三	飾垣整路	詞訟出行	子、丑、巳、申、酉、戌	正南
○	五日		十九	甲寅	猴	四	除服安葬	開市移徙	寅、酉、戌	東南
●	六日		二十	乙卯	雞	五	日值四絕大事勿用	諸事不宜	寅、卯、申、戌、亥	東南
●	七日	立冬	廿一	丙辰	狗	六	日值月破大事勿用	諸事不宜	巳、申、酉、亥	正西
●	八日		廿二	丁巳	豬	日	日值月破大事勿用	諸事不宜	丑、午、酉、戌	正西
○	九日		廿三	戊午	鼠	一	祭祀動土伐木畋獵	訂婚栽種	卯、申、酉	正北
●	十日		廿四	己未	牛	二	日值歲破大事勿用	諸事不宜	寅、卯、午、申	正北
○	十一		廿五	庚申	虎	三	出行修倉動土理髮移徙安葬	安床醞釀	丑、辰、午、申	正東
○	十二		廿六	辛酉	兔	四	動土安門入學掃舍作灶出行	開市開倉	寅、辰、午	正東
○	十三		廿七	壬戌	龍	五	安床置產補垣塞穴	開渠安葬	寅、卯、戌、亥	正南
○	十四		廿八	癸亥	蛇	六	祭祀沐浴	動土嫁娶	寅、卯、辰、午、戌、亥	正南
●	十五		廿九	甲子	馬	日	嫁娶會友訂婚動土理髮移徙出行安葬	畋獵取魚	子、丑、寅、辰、申	東南

● 大吉/吉時　○ 吉日　○ 平日　● 不吉

西曆 十一月	農曆 月	農曆 日	干支	沖忌	星期	(是日)宜	忌	財神方位	吉凶
十六		三十	乙丑	羊	一	祭祀理髮補垣塞穴	移徙出行	東南	○
十七	十月小	初一	丙寅	猴	二	移徙交易開市立約出行嫁娶動土安葬	作灶開渠	正西	●
十八		初二	丁卯	雞	三	開市訂婚動土出行交易移徙立約嫁娶	理髮栽種	正西	●
十九		初三	戊辰	狗	四	理髮沐浴捕捉畋獵	出行動土	正北	○
二十		初四	己巳	豬	五	日值月破大事勿用	諸事不宜	正北	●
廿一		初五	庚午	鼠	六	嫁娶出行會友訂婚移徙動土安床安葬	結網取魚	正東	●
廿二	小雪	初六	辛未	牛	日	日值歲破大事勿用	諸事不宜	正東	●
廿三		初七	壬申	虎	一	沐浴掃舍畋獵代木	安床出行	正南	○
廿四		初八	癸酉	兔	二	祭祀入學沐浴掃舍	嫁娶交易	正南	○
廿五		初九	甲戌	龍	三	祭祀補垣	動土開市	東南	○
廿六		初十	乙亥	蛇	四	祭祀沐浴	嫁娶動土	東南	○
廿七		十一	丙子	馬	五	訂婚理髮掃舍沐浴移徙出行	取魚作灶	正西	○
廿八		十二	丁丑	羊	六	祭祀	安床築堤	正西	○
廿九		十三	戊寅	猴	日	訂婚嫁娶開倉出財開市交易醞釀安葬	動土栽種	正北	●
三十		十四	己卯	雞	一	祈福開市動土交易出行移徙嫁娶安葬	畋獵開池	正北	●

是日吉時

時間	時辰	十六	十七	十八	十九	二十	廿一	廿二	廿三	廿四	廿五	廿六	廿七	廿八	廿九	三十
11PM - 01AM	子	●	●			●			●	●		●	●	●		●
01AM - 03AM	丑	●			●		●		●	●	●	●	●		●	
03AM - 05AM	寅	●		●		●	●	●		●	●	●				●
05PM - 07AM	卯	●	●		●			●	●		●	●			●	●
07PM - 09AM	辰								●	●					●	
09AM - 11AM	巳															
11AM - 01PM	午		●	●		●	●	●						●	●	●
01PM - 03PM	未															
03PM - 05PM	申	●			●	●	●	●		●						
05PM - 07PM	酉	●	●		●		●		●				●	●		
07PM - 09PM	戌												●			
09PM - 11AM	亥												●	●		

二〇〇九年西曆十二月

本月節氣：
大雪（節）農曆十月廿一日辰時
冬至（氣）農曆十一月初七丑時

西曆	農曆 月	農曆 日	干支	沖忌	星期	（是日）宜	忌	子	丑	寅	卯	辰	巳	午	未	申	酉	戌	亥	財神方位
十二月 一日	十月	十五	庚辰	狗	二	祭祀裁衣嫁娶理髮訂婚納畜移徙安葬	開渠出行		●	●		●		●					●	正東
二日		十六	辛巳	豬	三	日值月破大事勿用	諸事不宜		●	●				●				●		正東
三日		十七	壬午	鼠	四	祭祀伐木裁衣畋獵	開渠成服		●	●	●								●	正南
四日		十八	癸未	牛	五	日值歲破大事勿用	諸事不宜	●		●	●			●				●		正南
五日		十九	甲申	虎	六	嫁娶出行入學移徙動土會友栽種安葬	安床開倉	●	●			●				●	●			東南
六日		二十	乙酉	兔	日	入學理髮嫁娶裁衣出行置產納畜動土	伐木栽種	●	●	●		●				●	●			東南
七日	大雪	廿一	丙戌	龍	一	祭祀祈福開渠動土置產會友入學栽種	作灶修廚	●		●	●		●			●	●	●	●	正西
八日		廿二	丁亥	蛇	二	栽種飾垣動土裁衣	針灸理髮		●	●							●	●	●	正西
九日		廿三	戊子	馬	三	飾垣	栽種作灶		●		●	●	●			●	●			正北
十日		廿四	己丑	羊	四	出行安床嫁娶交易動土安葬	結網穿井	●		●	●		●			●	●			正北
十一		廿五	庚寅	猴	五	交易立約動土嫁娶開市移徙補垣安葬	理髮畋獵		●	●	●	●								正東
十二		廿六	辛卯	雞	六	飾垣	交易開市			●	●		●					●		正東
十三		廿七	壬辰	狗	日	開市會友訂婚動土出行移徙嫁娶安葬	開渠放水		●	●	●		●				●		●	正南
十四		廿八	癸巳	豬	一	日值上朔大事勿用	諸事不宜	●			●	●	●			●		●		正南
十五		廿九	甲午	鼠	二	日值月破大事勿用	諸事不宜		●	●							●			東南

● 大吉/吉時　○ 吉日　○ 平日　● 不吉

西曆 十二月	農曆 月	農曆 日	干支	沖忌	星期	吉凶	（是日）宜	忌	財神方位
十六	十一月大	初一	乙未	牛	三	不吉	日值歲破大事勿用	諸事不宜	東南
十七		初二	丙申	虎	四	大吉	立約嫁娶交易會友移徙開市出行安葬	動土作灶	正西
十八		初三	丁酉	兔	五	平日	祭祀捕捉沐浴掃舍	取魚會友	正西
十九		初四	戊戌	龍	六	吉日	祈福動土栽種會友入學穿井	捕捉伐木	正北
二十		初五	己亥	蛇	日	平日	築堤裁衣補垣塞穴	訂婚嫁娶	正北
廿一		初六	庚子	馬	一	不吉	日值四離大事勿用	諸事不宜	正東
廿二	冬至	初七	辛丑	羊	二	大吉	祈福出行嫁娶立約交易會友納畜安葬	醞釀行喪	正東
廿三		初八	壬寅	猴	三	大吉	嫁娶結網立約會友開市栽種動土安葬	開渠取魚	正南
廿四		初九	癸卯	雞	四	平日	整路飾垣	移徙交易	正南
廿五	聖誕節	初十	甲辰	狗	五	大吉	開市安床動土嫁娶移徙出行立約安葬	栽種置產	東南
廿六		十一	乙巳	豬	六	平日	祭祀捕捉置產畋獵	出行立約	東南
廿七		十二	丙午	鼠	日	不吉	日值月破大事勿用	諸事不宜	正西
廿八		十三	丁未	牛	一	不吉	日值歲破大事勿用	諸事不宜	正西
廿九		十四	戊申	虎	二	大吉	入學出行理髮開市交易嫁娶移徙醞釀	安床修倉	正北
三十		十五	己酉	兔	三	平日	理髮沐浴掃舍畋獵	開市移徙	正北
卅一	西曆除夕	十六	庚戌	龍	四	吉日	祈福置產入學動土開渠栽種	交易出行	正東

是日吉時

西曆	子 11PM - 01AM	丑 01AM - 03AM	寅 03AM - 05AM	卯 05PM - 07AM	辰 07PM - 09AM	巳 09AM - 11AM	午 11AM - 01PM	未 01PM - 03PM	申 03PM - 05PM	酉 05PM - 07PM	戌 07PM - 09PM	亥 09PM - 11AM
十六	●		●	●					●		●	●
十七	●	●				●			●	●	●	●
十八		●								●		●
十九		●		●					●			
二十	●		●	●					●			
廿一		●							●	●		
廿二		●	●	●		●			●			●
廿三		●	●	●							●	
廿四	●		●	●							●	
廿五	●	●	●		●					●		●
廿六	●	●							●	●	●	
廿七						●			●	●	●	●
廿八						●				●		●
廿九		●			●	●			●			
三十	●				●	●			●			
卅一		●							●			

二〇一〇年西曆一月

本月節氣：小寒（節）農曆十一月廿一戌時
大寒（氣）農曆十二月初六午時

西曆一月	農曆月	農曆日	干支	沖忌	星期	（是日）宜	忌	是日吉時	財神方位	
一日	十一月	十七	辛亥	蛇	五	是日月食大事勿用（月偏食）	諸事不宜	丑寅卯戌	正東	●
二日		十八	壬子	馬	六	祭祀飾垣	開渠開市	子丑寅卯辰巳	正南	○
三日		十九	癸丑	羊	日	嫁娶交易動土出行理髮開市移徙醞釀	乘船渡水	子丑辰巳申酉戌	正南	●
四日		二十	甲寅	猴	一	栽種開市出行交易結網納財立約動土	祈福移徙	寅辰酉戌	東南	●
五日	小寒	廿一	乙卯	雞	二	飾垣整路	動土栽種	寅卯申戌亥	東南	○
六日		廿二	丙辰	狗	三	整路伐木	入學移徙	巳申酉亥	正西	○
七日		廿三	丁巳	豬	四	祭祀	嫁娶理髮	丑巳午酉戌	正西	○
八日		廿四	戊午	鼠	五	理髮沐浴伐木捕捉	開市嫁娶	卯巳申酉	正北	○
九日		廿五	己未	牛	六	月破歲破大事勿用	諸事不宜	寅卯巳午申	正北	●
十日		廿六	庚申	虎	日	動土出行移徙納畜開市立約交易安葬	安床結網	丑辰巳午申	正東	●
十一		廿七	辛酉	兔	一	訂婚嫁娶開市出行立約移徙動土安葬	會友開渠	寅辰巳午	正東	●
十二		廿八	壬戌	龍	二	祭祀捕捉	開倉動土	寅卯巳戌亥	正南	○
十三		廿九	癸亥	蛇	三	會友	訂婚嫁娶	寅卯辰午戌亥	正南	○
十四		三十	甲子	馬	四	祭祀沐浴裁衣醞釀塞穴安葬	動土置產	子丑寅辰申	東南	○
十五	十二月大	初一	乙丑	羊	五	祭祀訂婚會友納畜開倉安葬	伐木栽種	子丑寅卯申酉	東南	○

西曆 一月	農曆 月日	干支	沖忌	星期	（是日）宜	忌	財神方位	等級
十六	初二	丙寅	猴	六	安門苫蓋沐浴掃舍移徙成服	作灶修廚	正西	吉日
十七	初三	丁卯	雞	日	祭祀成服	理髮動土	正西	平日
十八	初四	戊辰	狗	一	飾垣	出行移徙	正北	平日
十九	初五	己巳	豬	二	理髮裁衣動土會友立約交易嫁娶醞釀	置產出行	正北	大吉
二十	大寒 初六	庚午	鼠	三	納畜移徙栽種嫁娶訂婚出行動土安葬	結網作灶	正東	大吉
廿一	初七	辛未	牛	四	月破歲破大事勿用	諸事不宜	正東	不吉
廿二	初八	壬申	虎	五	祭祀理髮開市沐浴掃舍安葬	立約開渠	正南	吉日
廿三	初九	癸酉	兔	六	嫁娶訂婚納財開市移徙出行醞釀安葬	動土詞訟	正南	大吉
廿四	初十	甲戌	龍	日	祭祀納財捕捉畋獵	開市出行	東南	平日
廿五	十一	乙亥	蛇	一	祭祀開市納畜動土入學會友	栽種畋獵	東南	吉日
廿六	十二	丙子	馬	二	祭祀結網醞釀安葬	嫁娶移徙	正西	平日
廿七	十三	丁丑	羊	三	祭祀立約	伐木行喪	正西	平日
廿八	十四	戊寅	猴	四	安床作灶沐浴掃舍訂婚移徙	出行安葬	正北	吉日
廿九	十五	己卯	雞	五	祈福訂婚入學結網開市納財	開倉穿井	正北	吉日
三十	十六	庚辰	狗	六	祭祀飾垣	結網動土	正東	平日
卅一	十七	辛巳	豬	日	祈福納畜立約交易動土移徙開倉出財	醞釀栽種	正東	大吉

是日吉時

西曆	子 11PM - 01AM	丑 01AM - 03AM	寅 03AM - 05AM	卯 05PM - 07AM	辰 07PM - 09AM	巳 09AM - 11AM	午 11AM - 01PM	未 01PM - 03PM	申 03PM - 05PM	酉 05PM - 07PM	戌 07PM - 09PM	亥 09PM - 11AM
十六	●			●			●			●		
十七			●				●					
十八		●		●		●			●	●		
十九	●		●				●		●			
二十		●	●				●		●	●		
廿一			●	●		●	●		●			
廿二	●	●		●	●	●				●		
廿三	●	●	●		●	●			●			
廿四		●	●	●		●						
廿五	●	●	●	●								
廿六	●	●				●				●	●	●
廿七	●					●	●			●		●
廿八		●		●	●	●	●					
廿九	●		●	●			●					
三十		●	●		●	●	●					●
卅一		●	●			●	●				●	

● 大吉/吉時 ○ 吉日 ○ 平日 ● 不吉

二〇一〇年西曆二月

本月節氣：
立春（節）農曆十二月廿一辰時
雨水（氣）農曆正月初六日丑時

● 大吉/吉時　○ 吉日　○ 平日　● 不吉

西曆 二月	吉凶	農曆 月	農曆 日	干支	沖忌	星期	（是日）宜	忌	財神方位
一日	○	十二月	十八	壬午	鼠	一	理髮沐浴伐木安床捕捉畋獵	搭廁開渠	正南
二日	●		十九	癸未	牛	二	月破歲破大事勿用	諸事不宜	正南
三日	●		二十	甲申	虎	三	日值四絕大事勿用	諸事不宜	東南
四日	○	立春	廿一	乙酉	兔	四	祭祀動土理髮沐浴掃舍安葬	開渠開市	東南
五日	●		廿二	丙戌	龍	五	祭祀開市動土開倉入學交易立約安葬	出行畋獵	正西
六日	●		廿三	丁亥	蛇	六	祈福立約交易出行移徙開市動土栽種	取魚嫁娶	正西
七日	○		廿四	戊子	馬	日	祭祀納畜入學會友	伐木醞釀	正北
八日	○		廿五	己丑	羊	一	補垣塞穴	開市動土	正北
九日	○		廿六	庚寅	猴	二	會友裁衣立約交易納財納畜	祈福置產	正東
十日	●		廿七	辛卯	雞	三	嫁娶出行移徙會友交易動土立約安葬	開渠穿井	正東
十一	●		廿八	壬辰	狗	四	祈福交易會友動土嫁娶出行開市安葬	補垣塞穴	正南
十二	○		廿九	癸巳	豬	五	整路飾垣	詞訟出行	正南
十三	●		三十	甲午	鼠	六	動土結網嫁娶納畜立約交易出行開市	置產安葬	東南
十四		正月大	初一	乙未	牛	日	農曆元旦 新春大吉	——	東南
十五	●		初二	丙申	虎	一	月破歲破大事勿用	諸事不宜	正西

是日吉時

時辰	時間	一日	二日	三日	四日	五日	六日	七日	八日	九日	十日	十一	十二	十三	十四	十五
子	11PM - 01AM		●	●	●	●			●				●		●	●
丑	01AM - 03AM	●		●	●		●	●		●		●		●		●
寅	03AM - 05AM	●	●		●	●	●		●	●	●	●		●	●	
卯	05PM - 07AM	●	●			●		●	●	●	●	●	●		●	
辰	07PM - 09AM			●	●			●		●			●			
巳	09AM - 11AM	●	●	●		●		●	●		●	●	●			●
午	11AM - 01PM		●				●				●					
未	01PM - 03PM						●							●		●
申	03PM - 05PM			●												
酉	05PM - 07PM			●	●	●	●	●	●			●		●		●
戌	07PM - 09PM		●			●	●				●		●		●	●
亥	09PM - 11AM	●				●	●					●			●	●

牛年風水吉凶方位

牛年風水吉凶方位

古語有云：「一命、二運、三風水……」，由此可知命運與風水是息息相關的；倘若運好而又配上當旺方位，便可收錦上添花之效！即使運不逢時，但若能配上當旺的方位，亦可對改善流年運程大有幫助。

因此，在前面談過十二生肖的吉凶禍福後，現在便談談各個方位在牛年的吉凶禍福，以便讀者知所趨吉避凶，藉以改善運程。

按照風水學「九宮飛星」的理論，因為九顆飛星每年將會飛臨不同的方位，故此每個方位的吉凶禍福每年均會有所改變，年年不同。若是及早知道牛年哪些方位吉利而好好加以利用，哪些方位不吉則敬而遠之，這是正確的風水之道。

為了方便讀者改善流年宅運，現在便把牛年各個方位的吉凶禍福，以及其個別生旺化煞的方法，在這裡逐一和各位談談。

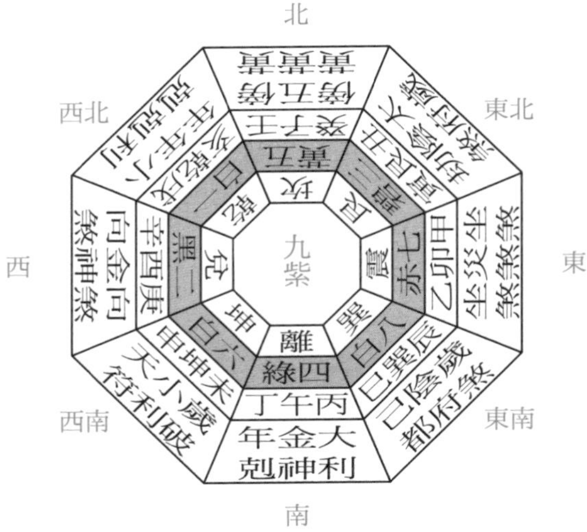

北 東北 東 東南 南 西南 西 西北

九紫

(圖一) 牛年九星分佈圖

牛年八個方位的吉凶禍福，可分類如下——

- 吉方：南方、西北
- 平方：東南、西南、東北
- 凶方：東方、西方、北方

這些方位在牛年的吉凶禍福，是以不同的顏色提示出來；紅色方格是表示吉利，斜紋方格表示平平，黑色方格表示不吉，一目了然。

西北	北	東北
西	中央	東
西南	南	東南

（圖二）牛年方位吉凶圖

以上是以「飛星派」的風水理論來作分析，現在再結合「八宅派」的理據來分析。

對於東四命的人來說，牛年是以南方最為吉利，其次是東南；而以西方最為不利。

對於西四命的人來說，牛年是以西北最為吉利，其次是東北；而以北方最為不利。

東西四命的「命卦表」，刊在第一七六及一七七頁，讀者可根據自己的出生年，從表中可清楚查出自己到底是東西命抑或是西四命。

若想知道自己家宅的正確方位，只要依照以下簡單的方法便可。首先把家宅用井字劃分成九個方格，然後站在中央用指南針量度（如圖三所示），那便可確知每一方格到底是甚麼方位。

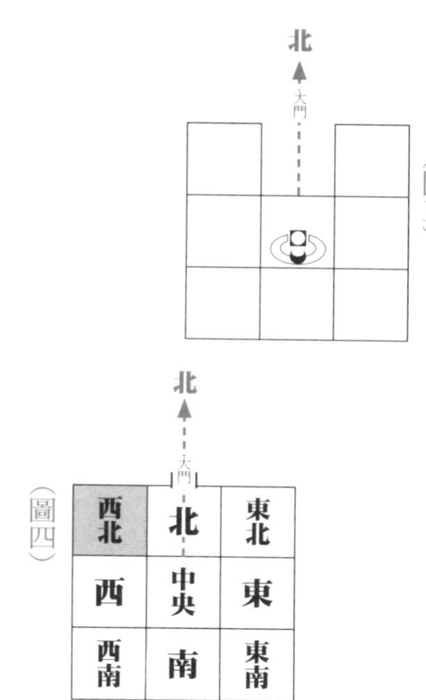

（圖三）
（圖四）

舉例來說，假如指南針顯示大門是在正北，那麼靠近大門的那一方位便是北方，而其它的方位亦可因而確定下來（如圖四所示）。有了這基本認識後，便知道如何擺放吉祥物；例如西北方的吉祥物，便應擺放在西北方這個方格內。

東方

今年的三煞位在東方，而且又有七赤這顆破軍星飛臨，故此今年的東方真是避之則吉，需盡量避免在這方位坐臥，以免招災惹禍！

此外，七赤破軍星與東方的三碧綠存星交會，則正如「紫白訣」所云：「三七疊至，被劫盜更現官災」。

東方擺放一對黑色的
獅象守門

若要化解盜竊及官非，可在東方這方位，擺放一對以黑色石雕成的獅象守門來坐鎮。獅與象是最勇武的猛獸，威鎮四方；以它們來把守大門，劫盜及官非均會被拒諸門外。

風水古籍有云：「乙辛兮，家室分離。」意思是指，辛金入主乙木所在之地，有家人出走、夫妻分離之象。倘若今年坐臥在東方，恐有家宅不寧之嘆。若想化解，可以擺放一對黑色的石兔作為方位吉祥物。

東方擺放一對黑色的
石兔

兔子，性格溫和，絕少發生爭執打鬥；而且又喜群居，絕少有離異或離家出走的情況出現，可說是家庭觀念濃厚的動物。把一對精靈的黑兔擺放在東方，有助改善家庭關係。

今年東方有金剋木之象，宜以水來洩金生木，故此宜用屬水的藍、灰及黑色來佈置；這將有助消滅這方位的煞氣。若是大門開正東，則宜在大門擺放藍、灰或黑色地毯。

東南

	北	
西		東
	南	

今年八白這顆當旺財星飛臨東南方，故此在方位坐臥，對財運大有幫助。但可惜八白飛入東南方，是土入木地的剋出格，主凶；故此今年的東南方吉中帶凶，必須懂得如何趨吉避凶。

東南擺放一座
紅色的
一團和氣

今年若是坐臥在東南方，宜在這方位擺放一座紅色的一團和氣來催財消災。矮胖的財神爺，背著百寶袋，站在一堆金錢上，並且手握三根禾穗，是和氣生財的象徵。這一團和氣，既可招納財氣，同時又笑容滿面，可消減不少煞氣及晦氣，一舉兩得。

東南方的四綠，本是文昌之星，有利求學讀書；但今年有八白飛臨，則有如古籍所云：「四綠固號文昌，然八會四而小口損生。」意思是指對小孩的健康不利。

東南擺放一對
紅色的
鯉躍成龍

若要化解，可在東南方小孩的床頭，或在東南方的書檯上，擺放一對紅色的鯉躍成龍來坐鎮。鯉魚生命力頑強，成功飛躍龍門之後，即可蛻化成龍，那便聲價百倍，不同凡響！倘若擺放在成人東南方的書檯上亦會有效。

今年東南方利紅、紫及粉紅色，原因以上屬火的顏色，有利消除土入木地的煞氣。倘若大門開在東南方，則可在大門口舖放紅色地毯來催吉避凶。

南方

今年南方吉星會聚，而且又有四綠文昌星飛臨，故成為今年大吉大利的方位！既可旺財，又可增添功名利祿，所以最適宜坐臥其間。

若想旺上加旺，可以在南方這方位，擺放一對深藍色的大展鴻圖作為吉祥物。

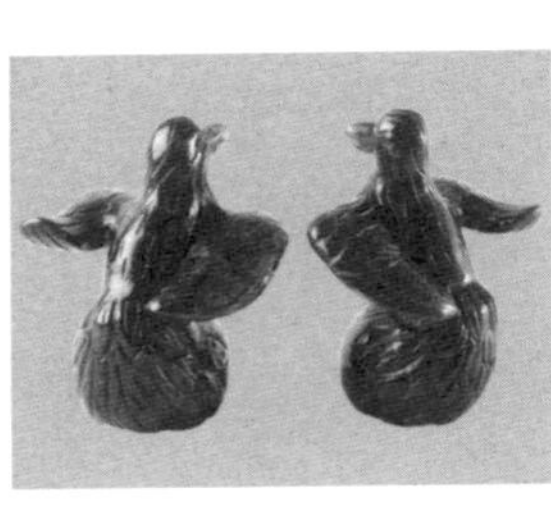

南方擺放一對
深藍色的
大展鴻圖

鴻，是傳說中的吉祥大鳥，壯志凌雲，是奮發向上的象徵。一隻伸翼展翅的巨鴻，屹立在大壽桃之上，因桃與圖同音，故此兩者組成大展鴻圖的吉兆。把這對大展鴻圖擺放在今年最吉利的南方，可收相得益彰之效。

今年南方是四綠飛入離宮，有木火通明之象，但略嫌燥熱。風水古藉認為「四九，主聰明而溫柔」，但「乍交暫合」。意思是指坐臥在這方位，易受感情牽連。

若要化解，可在南方擺放一對深藍色的巨象汲水作為方位吉祥物。巨象喜群居，不喜離群獨處，故此是易聚難散。坐在池邊汲水的巨象，可消減今年南方的燥熱之氣。

南方擺放一對
深藍色的
巨象汲水

今年南方，是木入火地之局，熱上加熱，宜以水來滋潤這方位；而藍色及黑色是水的顏色，故此今年宜採用這兩種顏色來佈置。倘若大門開在南方，大門地毯宜採用藍或黑色。

西南

今年西南方雖是沖犯太歲的歲破方，但因有吉星化解，可以稍解煞氣；而且又有六白財星飛臨，有助生旺財運，故此今年的西南凶中帶吉。倘若在這方位坐臥，必須懂得趨吉化凶。

西南擺放一對墨綠色的
日月麒麟

若要化解，可在西南這今年的歲破方，擺放一對墨綠色的日月麒麟作為吉祥物。麒麟，是古代的四靈之一，非但能夠招財納福，而且亦能辟邪擋煞。麒麟所踏的石上，一塊刻有太陽，一塊刻有月亮；太陽掌日而月亮掌夜；表示這歲破方日夜均有麒麟坐鎮。

「飛星賦通釋」有云：「交至乾坤，吝心不足」。其意是指乾上而坤下乃否卦，有吝嗇而貪得無厭的傾向，並非吉兆！恐有因貪而變貧之虞。若要化解煞氣，可在今年的西南方擺放一對墨綠色的鴻福有餘作為方位吉祥物。

壯健的熊，雙手捉著一條大魚，身旁又有一條大魚躍出水面，是有餘未盡的象徵；而熊背伏著蝙蝠，則是鴻福的象徵。既有鴻福，又有餘未盡，則可化解今年西南方的煞氣。

西南擺放一對墨綠色的
鴻福有餘

今年西南方，是金入土地的生出格，宜以木來破土，故此今年宜採用綠及青色來佈置這方位。倘若大門開在西南方，宜採用綠色或青色的門口地毯。

西方

	北	
西		東
	南	

今年西方凶星會聚，而且又有二黑這顆「病符」星飛臨，故此今年這方位真是避之則吉，以免不如意事接連而來，甚至很可能疾病纏身。

倘若避無可避，一定要在西方這方位工作或睡覺，那便需在這方位擺放一對白色的出水龜荷來化解，作為方位的吉祥物。

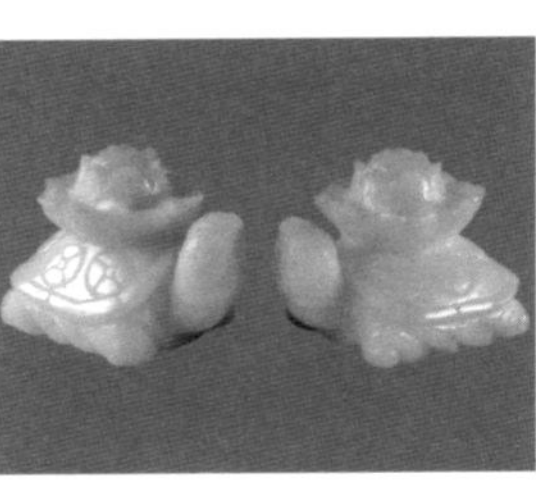

西方擺放一對白色的出水龜荷

水陸兩棲的靈龜，在確定平安不受攻擊的時候，才會放膽游出水面；而龜又是健康長壽的象徵。故此把一對出水龜荷，擺放在今年西方的二黑病符位，可望有助卻病延年。

今年二黑飛入兌宮，風水古籍有云：「若坤配兌女，庶妾難逃寡母之歡心」。其意是指西方今年陰氣甚重，很可能同性相拒，因而出現口舌是非頻生、家宅不寧的現象。

西方擺放一座白色的雙龍獻珠

若要化解，可在西方擺放一座白色的雙龍獻珠作為方位吉祥物。龍，尊貴威嚴，是四靈之首，又是雄性的象徵。珍珠，不單珍貴，而又可辟邪！擺放雙龍獻珠在西方來坐鎮，可減口舌是非，確保家宅安寧。

今年西方，是土入金地之局，又是二黑病符飛臨之地，宜以屬金的白色來化煞；故此今年的西方利白色。倘若大門開在正西方，大門地毯宜白色，或以白色為主。

西北

	北	
西		東
	南	

今年西北方有一白財星飛臨，故此可算是今年當旺的方位之一；適宜坐臥其間以吸納財氣。若想催旺，可以在這方位擺放一對黃色的鳳凰得寶作為方位吉祥物。

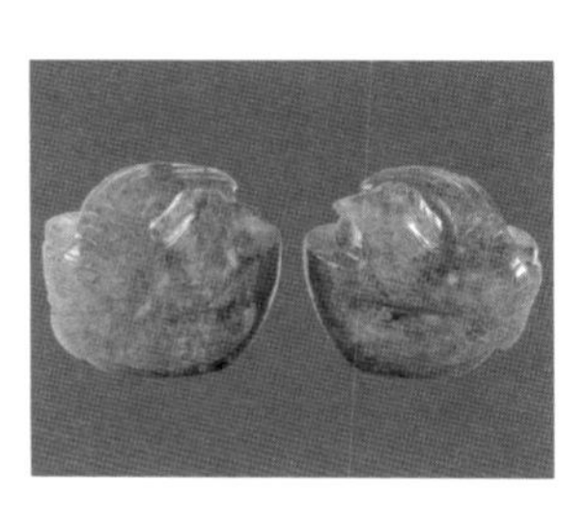

西北擺放一對黃色的
鳳凰得寶

鳳凰，是美麗吉祥的珍禽，無寶不落。元寶，是古代財富的象徵，許多人均夢寐以求卻求之不得。鳳凰伏在飽滿的元寶上，象徵既富貴而又吉祥。把這鳳凰得寶擺放在今年當旺的西北方，可收相輔相成之效！對改善今年的流年運程大有幫助。

今年一白飛入乾宮，風水古籍云：「星聯奎壁，啟八代之文章。」其意是指今年西北方因而文章煥發，特旺功名富貴，可以稱為今年的文昌位。若要催旺，可以擺放一對黃色的福祿壽作為這方位的吉祥物。

西北擺放一對黃色的
福祿壽

這福祿壽並非是一般所見的福、祿、壽三星；而是一隻健壯精靈的公鹿，背上伏著一隻大蝙蝠，而身旁有一隻肥厚飽滿的壽桃，三者組成福祿壽齊來的吉兆。

今年西北方，是水入金地的生出格，宜以屬土的棕、黃色來佈置；這有助生旺今年這方位的財氣及旺氣。倘若大門開在西北方，宜採用棕色或黃色的門口地毯。

北方

	北	
西		東
	南	

今年五黃這顆招災惹禍的凶星飛臨北方，故此今年這方位凶多吉少，應盡量避免坐臥其間，以免對流年運程大有損害。

倘若避無可避，唯有在北方這方位擺放一對白色的萬象更新來坐鎮。

北方擺放一對白色的萬象更新

萬象，是指背上刻了佛教卍字徽號的象，大象前足踏著長石，石上刻著「新」字，頭上項著一顆光照萬里的明珠，組合成萬象更新的吉祥景象。把這對萬象更新擺放在北方，可大大消減今年這方位的五黃煞氣。

今年五黃飛入坎宮，以入中的九紫代之，而成九一交會之局。風水古籍有云：「離壬會子癸，喜產多男。」其意是指今年北方是宜男的方位。

若想生男，而又能避開今年北方的五黃煞氣；可在這方位擺放白色的踏龜麒麟。

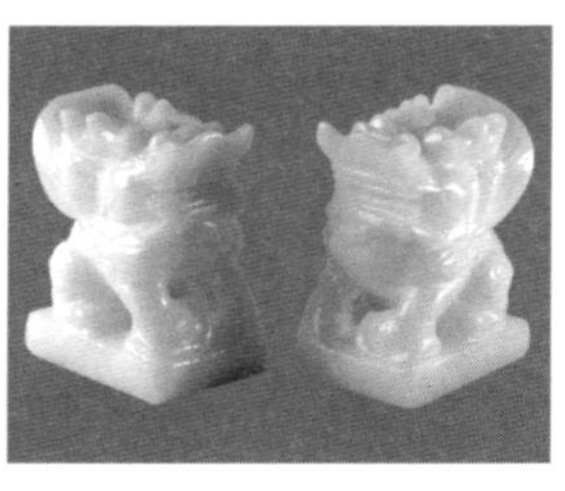

北方擺放一對白色的踏龜麒麟

麒麟與龜，均屬古代四種最具靈氣的瑞獸之一，再加上麒麟口中啣著的靈芝，充滿一片祥和靈秀的氣象！何況麒麟是麟兒的象徵。

今年北方，是土入水地之局，宜以金來洩土生水，故此採用屬金的白色來佈置，將可消減土氣甚重的五黃煞氣。倘若大門在北方，今年宜採用白色的大門地毯。

東北

今年的東北方雖是太歲的所在方位，但因有三碧祿存星飛臨，形成木入土地的剋入格，主吉！故可稍減這方位的煞氣。但需緊記今年這方位不宜動土，以免犯了「太歲頭上動土」之弊。

東北擺放一對
紅色的
振翅飛獅

若要化解，可以擺放一對紅色的振翅飛獅在東北方來坐鎮。獅子，是百獸之王，威猛無比，群獸均望風而逃；而其中又以走動中的雄獅最為威猛；若再添上雙翼，則空中陸上皆稱王稱霸，更是威猛無匹。擺放這對吉祥物在東北，可消減今年這方位的太歲煞氣。

今年的東北方是三碧飛入艮宮，風水古籍云：「三八有連珠之象，青雲路上自逍遙」。其意是指今年的東北方旺功名利祿；有利脫穎而出，青雲直上。

若想催旺今年東北方的功名利祿，可在這方位擺放一座紅色的文昌塔。

文昌塔，與供奉舍利子的佛塔不同；文昌塔的塔頂有如毛筆的筆尖，直指向天。顧名思義，文昌塔是專門用以生旺文昌。

東北擺放一座
紅色的
文昌塔

今年的東北方，是木入土地之局，故宜以屬火的紅色及紫色來佈置，這有助消減這方位的陰煞之氣。倘若大門開在東北方，宜採用紅色或紫色的大門地毯。

東西命卦一覽表

出生年份	男命	女命
一九三Ｏ 庚午	兌金◎	艮土◎
一九三一 辛未	乾金◎	離火●
一九三二 壬申	坤土◎	坎水●
一九三三 癸酉	巽木●	坤土◎
一九三四 甲戌	震木●	震木●
一九三五 乙亥	坤土◎	巽木●
一九三六 丙子	坎水●	艮土◎
一九三七 丁丑	離火●	乾金◎
一九三八 戊寅	艮土◎	兌金◎
一九三九 己卯	兌金◎	艮土◎
一九四Ｏ 庚辰	乾金◎	離火●
一九四一 辛巳	坤土◎	坎水●
一九四二 壬午	巽木●	坤土◎
一九四三 癸未	震木●	震木●
一九四四 甲申	坤土◎	巽木●
一九四五 乙酉	坎水●	艮土◎
一九四六 丙戌	離火●	乾金◎
一九四七 丁亥	艮土◎	兌金◎
一九四八 戊子	兌金◎	艮土◎
一九四九 己丑	乾金◎	離火●

出生年份	男命	女命
一九五Ｏ 庚寅	坤土◎	坎水●
一九五一 辛卯	巽木●	坤土◎
一九五二 壬辰	震木●	震木●
一九五三 癸巳	坤土◎	巽木●
一九五四 甲午	坎水●	艮土◎
一九五五 乙未	離火●	乾金◎
一九五六 丙申	艮土◎	兌金◎
一九五七 丁酉	兌金◎	艮土◎
一九五八 戊戌	乾金◎	離火●
一九五九 己亥	坤土◎	坎水●
一九六Ｏ 庚子	巽木●	坤土◎
一九六一 辛丑	震木●	震木●
一九六二 壬寅	坤土◎	巽木●
一九六三 癸卯	坎水●	艮土◎
一九六四 甲辰	離火●	乾金◎
一九六五 乙巳	艮土◎	兌金◎
一九六六 丙午	兌金◎	艮土◎
一九六七 丁未	乾金◎	離火●
一九六八 戊申	坤土◎	坎水●
一九六九 己酉	巽木●	坤土◎

西四命◎

吉方：
西南
西方
西北
東北

東四命●

吉方：
東方
東南
南方
北方

出生年份		男命	女命
一九七〇	庚戌	震木●	震木●
一九七一	辛亥	坤土◎	巽木●
一九七二	壬子	坎水●	艮土◎
一九七三	癸丑	離火●	乾金◎
一九七四	甲寅	艮土◎	兌金◎
一九七五	乙卯	兌金◎	艮土◎
一九七六	丙辰	乾金◎	離火●
一九七七	丁巳	坤土◎	坎水●
一九七八	戊午	巽木●	坤土◎
一九七九	己未	震木●	震木●
一九八〇	庚申	坤土◎	巽木●
一九八一	辛酉	坎水●	艮土◎
一九八二	壬戌	離火●	乾金◎
一九八三	癸亥	艮土◎	兌金◎
一九八四	甲子	兌金◎	艮土◎
一九八五	乙丑	乾金◎	離火●
一九八六	丙寅	坤土◎	坎水●
一九八七	丁卯	巽木●	坤土◎
一九八八	戊辰	震木●	震木●
一九八九	己巳	坤土◎	巽木●

出生年份		男命	女命
一九九〇	庚午	坎水●	艮土◎
一九九一	辛未	離火●	乾金◎
一九九二	壬申	艮土◎	兌金◎
一九九三	癸酉	兌金◎	艮土◎
一九九四	甲戌	乾金◎	離火●
一九九五	乙亥	坤土◎	坎水●
一九九六	丙子	巽木●	坤土◎
一九九七	丁丑	震木●	震木●
一九九八	戊寅	坤土◎	巽木●
一九九九	己卯	坎水●	艮土◎
二〇〇〇	庚辰	離火●	乾金◎
二〇〇一	辛巳	艮土◎	兌金◎
二〇〇二	壬午	兌金◎	艮土◎
二〇〇三	癸未	乾金◎	離火●
二〇〇四	甲申	坤土◎	坎水●
二〇〇五	乙酉	巽木●	坤土◎
二〇〇六	丙戌	震木●	震木●
二〇〇七	丁亥	坤土◎	巽木●
二〇〇八	戊子	坎水●	艮土◎
二〇〇九	己丑	離火●	乾金◎

慎防偽冒嚴正聲明

假書

本人撰寫之流年運程，近年發現很多偽冒版本，以本人多年前之舊作任意竄改而成書，顛倒吉凶禍福，一塌糊塗；尚望各位讀者明鑒，切勿購買這類假書，以免自招損失。

假吉祥物

本人因應每個生肖的吉凶禍福而精心設計的吉祥物，近年亦發現很多偽冒劣品，魚目混珠。

擺放吉祥物主要是改善流年運程，確保一年平安大吉；但若是購買仿冒的吉祥物，只是形似而無實際功效，倒不如不擺放為妙！因吉祥物曾經過特別加工處理，而倣冒者則不知其中奧妙，故此得物無所用。

真貨需知

依照以下這三點，便可買到真可趨吉避凶的正版吉祥物。

(一) 每款吉祥物的包裝盒上均印有本人宋韶光彩色肖像，以防偽冒。請認明二一六頁圖樣方可購買。

(二) 前往以下（第一七九至一九四頁）所列出的世界各地特約經銷商購買。請注意，今年不再列出的經銷商，即表示已停止供貨，故此請勿再前往光顧。

(三) 每盒吉祥物貼有全新的集雅軒防偽標識，可撥打電話查真偽，只要刮去標識表面，即現出一組防偽數碼，撥通標識上的電話號碼並輸入該組數碼後，便可從電話中確認是否真貨。

香港門市

集雅軒文化有限公司
Elegantcharm Culture Ltd.

集雅軒 ELEGANTCHARM

九龍彌敦道 216-228號A恆豐商業中心 UG-26號舖
Shop UG-26, Prudential Centre,
216-228A Nathan Road, Kowloon.
Tel: (852) 2391-6386, (852) 2503-5868

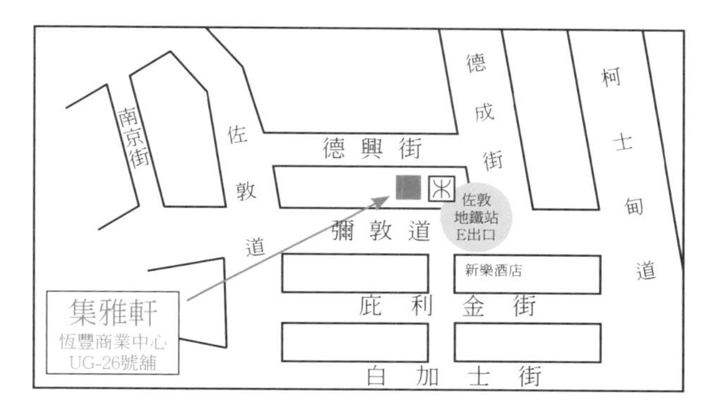

澳門

德祥鏡店・風水佛具用品
澳門關前正街十七號
電話 / 傳真：(853) 2833-3484

詩雅精品
澳門伯多祿局長街三十一號地下
電話：(853) 2832-3621　傳真：(853) 2833-2722

生肖及方位吉祥物專賣店

認明店號地址購買，以防假冒

美國

羅省

宋韶光文化企業 （美國辦事處）
SUNG'S CULTURAL ENTERPRISE (U.S.A)
11017 West Hondo Pkwy, SuiteA, Temple City, CA 91780
Tel: (626) 618-0618 Fax: (626) 618-0938

三藩市

精藝禮品店 TREASURE ISLAND GIFTS
日新書局 TREASURE BOOKS
932 Grant Avenue, San Francisco, CA 94108
Tel: (415) 362-2888 Fax: (415) 392-6218

東之寶禮品店 EASTERN TREASURE GIFTS
日新書局 TREASURE BOOKS
804 Grant Avenue, San Francisco, CA 94108
Tel: (415) 399-8886 Fax: (415) 398-8896

芝加哥

華埠行 · 古董服飾珠寶店 CHINATOWN BAZAAR.
2221 S Wentworth Ave., Chicago IL 60616
Tel: (312) 225-1088 Fax: (773) 927-2878

首飾禮品 · 風水吉祥店 CHINESE BOUTIQUE & GIFTS
2227 S Wentworth Ave., Chicago IL 60616
Tel: (312) 225-5009 Fax: (312) 225-1688

紐約 （美國東岸紐約獨家代理）

美麗屋 佛具吉祥禮品 UNIWORLD TRADE CORP.
63 Bayard Street, New York, N.Y. 10013 (Chinatown)
紐約市華埠擺也街 63 號（夾勿街）
Tel: (212) 233-8228 Fax: (718) 983-6888

加拿大

多倫多

遠東風水專門店 FAR EAST ARTS CO.
4350 Steeles Ave. E., Unit 102, Box 13 & Unit A22, Box 22
Markham, Ontario L3R 9V4 (城市廣場)
Tel: (905) 305-9062, 513-8681 Fax: (905) 305-9061

金滿堂香莊 KAM MOON TONG SANDALWOOD
550 Highway 7 East, Unit 76C Times Square, Richmond Hill
Ontario L4B 3Z4 (near 404 / Highway 7 West exit)
加拿大 安大略省 烈治文山 時代廣場 76C 舖
Tel: (905) 882-5823 Fax: (905) 882-5823

金星 GOLDEN STAR LOTTO CENTER
Pacific Mall 太古廣場
4300 Steeles Ave. East Unit #B52 Markham, Ontario L3R OL3
Tel: (905) 470-9177

加拿大西岸 亞省・卑詩省獨家代理

李氏珍藏 LEE'S ORIENTAL ARTS LTD.

卡加利

卡加利華埠 龍成商場地下 130 舖
Shop 130, 328 Centre St. S.E. Dragon City
Calgary, AB. T2G 4X6
Tel: (403) 233-8733 Fax: (403) 241-8929

溫哥華

溫哥華烈治文三路 帝國中心 1410 食堂舖
#1410 - 4540 No.3 Road, Empire Centre Food Court
Richmond B.C., V6X 4E4
電話郵購 Tel: (604) 728-2198

李氏珍藏

英國

倫敦

文大新五聯書報社 WEN TAI SUN CHINESE NEWS AGENCY
80 Dean Street London W1D 3SL U.K.
Tel: (020) 7437-5188, 7287-4319 Fax: (020) 7437-8234

澳洲

墨爾本　(獨家代理)

東藝傢俬佛具城 ROSEWOOD FURNITURE
220 Little Bourke Street (Chinatown) Melbourne Vic. 3000
Tel: (03) 9663-2550　Fax: (03) 9663-9650

悉尼

澳洲梁慧記 佛具工藝香行 LEUNG WAI KEE
764 George Street, Haymarket, NSW 2000, Sydney, Australia
Tel: (02) 9281-3361　Fax: (02) 9281-3360

新藝風圖書文具公司 SUN FUNG COMPANY
Shop 13, East Ocean Arcade, 427-429 Sussex St.,
Sydney, NSW 2000, Australia
Tel / Fax: (612) 9212-1608

新時代精品佛具店 THE NEW ONE GIFT SHOP
No. 81 & 96 B.C. John Street, Cabramatta NSW 2166, Australia
Tel: (02) 9723-6238, 9727-9288　Fax: (02) 9727-9288

好世界禮品店 GOOD WORLD GIFT SHOP
Shop 5/107, John St. Cabramatta NSW 2166, Australia
Tel: (02) 9723-1188　Fax: (02) 9723-1100

柏斯

永隆圖書中心 WING LOONG NEWS & BOOKS
268 William Street, Perth, W.A. 6003, Australia
Tel: (618) 9227-7872　Fax: (618) 9227-9597

布里斯班

綠林書店 H.K. MAGAZINE COMICS
Shop 7, 210 Wickham Street, Fortitude Valley, Q 4006, Australia
Tel / Fax: (07) 3252-2666

新西蘭

海洋書店 OSIA BOOKSHOP
Shop 1, 13 Kent Street, Newmarket, Auckland, New Zealand
Tel: (64) 9-520-1810　Fax: (64) 9-520-1822

新加坡

新馬總代理

MLLG Trading Enterprise
1091 Lower Delta Road #01-05
Singapore (169202)
Tel: (65) 6274-4038
Fax: (65) 6278-2462

集雅軒文化企業（武吉知馬購物中心）
170 Upper Bukit Timah Road #01-24
Bukit Timah Shopping Centre
Singapore (588719)
Tel: (65) 6469-0702
Fax: (65) 6468-6885

好日子保健品（珠光大廈）
100 Eu Tong Sen Street
#01-29C Pearls Centre
Singapore (059812)
Tel: (65) 6534-0182

華豐風水用品中心（柏齡頓廣場）
175 Bencoolen Street
#01-15 Burlington Square
Singapore (189649)
Tel: (65) 6338-8009, 9476-7723

藍點圖書私人有限公司
Blk 531, Upper Cross Street #02-14 &
#01-48 Hong Lim Complex
Singapore (050531)
Tel: (65) 6535-1488

新藝書局
Blk 504, Jurong West St, 51 #01-213
Singapore (640504)
Tel: (65) 6562-4106

宇能水晶
1 Jurong West Central 2 #B1-03A
Jurong Point Shopping Centre
Singapore (648886)
Tel: (65) 6764-8198, 9677-0398

富香城
Blk 678A Woodlands Ave 6 #01-20
Singapore (731678)
Tel: (65) 9632-9511

新加坡裕華國貨百貨有限公司
70, Eu Tong Sen St
Singapore (059805)
Tel: (65) 6538-4222

李氏風水
149 Rochor Road, #03-16 & #02-13
Fu Lu Shou Complex
Singapore (188425)
Tel: (65) 6337-8488

億通文化企業公司（紅山中心）	萬里書局
Blk 165 Bukit Merah Central #04-3683, Singapore (150165) Tel: (65) 6275-7696 H/P: 9488-2629	6001 Beach Road #01-40 Golden Mile Tower Singapore (199589) Tel: (65) 6298-5739

馬 來 西 亞

瀚生文化事業有限公司	遠東文化中心(吉隆坡)有限公司
F35, Holiday Plaza, Jalan Bato Sulaiman 80250 Johor Bahru, Malaysia Tel: (07) 344-4350	145, Jalan Petaling 50000 Kuala Lumpur Malaysia Tel: (03) 2078-5019

馬來西亞
郵購總代理：LETTERMAN MARKETING SDN BHD

No. 4 & 6 Ground Floor, Jalan PJS 10/2 Subang Indah,
46050 Petaling Jaya, Selangor, Malaysia
Tel: (03) 5634-8661, (03) 5634-8808
Fax: (03) 5634-8797, (03) 5634-1848

泰國

利泰福公司 LEE TAI FU CO., LTD.
1077 Rama 4 Road, Wangmai Pathumwan, Bangkok Thailand 10330
泰國曼谷把吞旺縣旺邁拍喃四路 1077號
Tel: (662) 611-8495, 219-3114, 219-1587
Fax: (662) 611-8497, 221-9722

中國諮詢處：

廣東

廣州

廣州市越秀區淨慧路 7 號第三鋪
電話：(020) 8890-1929

廣州市番禺區市橋沙墟德勝路德勝廣場 13 號鋪（近交通大廈）
電話：(020) 8464-0218　傳真：(020) 8463-5508

佛山

手機：1367-976-2666

深圳

深圳市福田區梅林路邊防住宅區 38 號商鋪
（位於梅林路與梅中路交界，即梅林中學斜對面）
電話：(0755) 8325-2656, 8301-6096

東莞

東莞市城區東縱大道地王廣場四區三層 3477 號商鋪
電話：(0769) 2125-9968　手機：1355-382-7898

東莞市石龍鎮黃洲裕興路金沙商鋪58號（騰龍大酒樓對面）
電話：(0769) 8610-8619, 2125-9968
手機：1355-382-7898

惠州

惠城區中山南路 28 號
電話 / 傳真：(0752) 224-6719
手機：1355-382-7898, 1371-968-0423

清遠

清遠市人民二路鳳城世家街鋪 A20 卡（即行政服務中心對面）
電話：(0763) 366-6855　手機：1382-850-5320

韶關

韶關市園前路 3 號之一園前大廈首層（中山公園大門前）
電話：(0751) 888-6918　手機：1362-245-2299

汕頭

長平路金濤莊春和苑 A9 號佛光閣商場
免費送貨電話（只限汕頭市）：(0754) 8873-4837
手機：1350-273-0107

澄海區益民路匯景城 37-38 號佛光閣商場
免費送貨電話（只限澄海區）：(0754) 8581-4837
手機：1350-273-0107

潮州

潮州市潮安縣庵埠潮汕路文里新村路段（文里 10 棟對面）
免費送貨電話（只限潮州地區）：(0768) 663-1837

汕尾　潮陽　揭陽

免費送貨電話（只限汕尾/潮陽/揭陽地區）：(0768) 663-1837

海南

海口

海口市文明東路 4 號 11 舖（原 174 號）
電話 / 傳真：(0898) 6532-8845, 1397-690-5010

三亞

三亞市解放路名城假日廣場 709
電話：1351-980-8028

華東

上海

上海市黃浦區人民路 757 號天意婚慶商場 3 樓電梯口 317 號
電話：(021) 6328-3140, 6326-0146, 2962-0260
手機：1391-666-7681

昆山

昆山市吉祥物專賣店
電話：(0512) 5028-7745

蘇州

蘇州市獅林寺巷 46 號茗鼎名茶內（獅子林向西 30 米）
電話：(0512) 6770-6715　手機：（0512）6881-0253

常州

常州市小東門路 102-9 號茗鼎名茶內
電話：(0519) 8810-7090　手機：1377-502-7346

無錫

無錫市香榭街 8-11 號茗鼎名茶內（蓉湖大橋約向東南100米）
電話：(0510) 8280-3367　手機：1332-791-3603

無錫市惠山直街 133-102 號茗鼎名茶內
電話：(0510) 8301-1329　手機：1332-791-3603

江陰

江陰市暨陽路 100 號茗鼎名茶內
電話：(0510) 8682-3599　手機：1318-209-2223

杭州

杭州市慶春路 136 號廣利大廈八層 888 號
電話：(0571) 8724-3195, 8703-7298　手機：1322-107-7276

南京

南京市中央路 19 號金峰大廈 1009 室（鼓樓廣場北側）
電話：(025) 8663-2492, 8324-5551

合肥

合肥市穎上路 A8 號
電話：(0551) 562-7707

寧波

寧波市江東區江東北路 250 號（大紅鷹集團南側）
電話：(0574) 6687-9669, 8732-5064　傳真：(0574) 8732-5064

溫州

溫州市鹿城區人民西路 263 號妙果寺商場一區東一號鋪
電話：(0577) 8185-9012, 8827-0556　傳真：(0577) 8986-0099

青島

青島市漳州路 35 號乙欣紅妝
電話：(0532) 8575-6725, 8575-6726, 8667-6938

東營

東營市西城區商河路步行街陽光休閑購物廣場 B-1023（西三路 1+1KTV 斜對面）
電話：(0546) 796-0038, 878-1198, 781-9938

濟南

濟南市北園路東亞商城 4 號門
電話：(0531) 8521-9888　手機：1327-531-9888

煙台

煙台市芝罘區長途汽車總站大廈 1478 室
電話：(0535) 590-3333　手機：1327-545-3333

淄博

淄傅市開發區政通東路 145 號新時代商務中心 A507
電話：(0533) 621-6255, 621-9255, 1335-525-1588

榮成

榮成市青山西路 20 號
電話：1362-630-0825

威海

威海市新威路 116 號 - 7
電話：(0631) 532-9585, 1370-631-9919

臨沂

臨沂市沂蒙路人民會堂院內西側樓
電話：(0539) 831-5668, 1596-390-7928

棗庄

棗庄市棗庄購物中心家具城三樓東首
電話：(0632) 308-0999, 601-6999

福健

廈門市禾祥西路 701 號（禾祥商城對面巷內）
電話 / 傳真：(0592) 229-6732　手機：1390-603-4117

福州市白馬中路 15 號 8號店鋪（烏山橋下山海花園）
電話 / 傳真：(0591) 8711-2630
手機：1360-085-5505, 1390-603-4117

泉州市刺桐北路
電話 ：1390-603-4117, 1350-085-5505

南昌

江西省南昌市繩金塔南大門西側 9 號門店
電話：(0791) 601-0926, 296-1548

華中

鄭州

鄭州市紫荊路 56 號華林新時代廣場 10 樓 30號
（下電梯北第一間）
電話：(0371) 6556-5813, 6515-6972

鄭州市花園路與黃河路口向南 10 米路東
電話：(0371) 6599-3970

平頂山

平頂山市中興路中段（絹紡廠向南 200 米，新都賓館南側）
電話：(0375) 787-1637

洛陽

洛陽市捷佳商貿城西門（百貨大樓南 18 米）
電話：(0379) 6560-6271, 1352-698-6782

商丘

商丘市長江路新市委市委北門對面
電話：(0370) 306-0506

開封

開封市南京巷 1 號營業房（東大街與南京巷交叉口）
電話：(0378) 525-6988, 1321-316-3355

長沙

長沙市八一路 201 號
電話：(0731) 446-4005　手機：1378-706-8705

懷化

懷化市錦溪南路老年活動中心大門右側 30 米門面房
電話：(0745) 238-3533, 699-2299

岳陽

岳陽市岳陽樓區德勝南路碧翠園 1 號
電話：(0730) 820-2168　手機：1300-730-7762

武漢

武漢市漢陽區翠微路 81-1 號
電話：(027) 8469-5919, 6208-5287

宜昌

宜昌市西陵區雲集路 13 號電力賓館門面
電話：(0717) 625-2679

西南

成都

成都市青羊區文殊院醬園公所街 1 號長盛苑附 16 號
電話：(028) 8691-1812　手機：1380-822-3753

重慶

重慶市沙坪壩步行街華宇時尚商業街商舖 C 區 018 號
電話：(023) 6541-3610　手機：1343-608-2581

昆明

昆明市關上沃爾瑪東側萬興印象商業街 C 幢一層 7 號
（昆明國際會展中心新館北三門正對面）
電話：(0871) 717-9221　手機：1390-886-8522

貴陽

貴陽市南明區沙沖中路 34-2 號
電話：(0851) 579-9968

柳州

柳州市三中路 92-2 號 1-19 舖面（軍分區旁）
電話：(0772) 283-2626　手機：1397-860-0668

南寧

南寧市青山路 19 號金匯如意坊 E102 號舖
電話：(0771) 235-1273　手機：1397-860-0668

西北

西安

西安市環城南路中段 76 號
電話：(029) 8785-0738, 8248-1169　手機：1399-195-9895

華北

北京

北京市朝陽區建國路 93 號萬達廣場 8 號樓 706 號
電話：(010) 5820-5583, 5820-5593, 8168-9988

北京市東城區東四隆福寺隆福廣場西區 B-21 號
電話：(010) 6406-0333, 8404-0686, 6512-1268

天津

天津市南開區鼓樓東街 64 號
電話：(022) 2725-0817, 2330-9887

石家庄

石家庄市橋東區休門街 1 號財富中心大廈 1 棟 2702室
（位於中山路與休門街路口往南 50 米）
電話：(0311) 8611-2540　手機：1358-231-0059

太原

山西省太原市新建路 10 號門面 （原 42 號大院）
電話：(0351) 419-3310

臨汾

山西省臨汾市堯都區鼓樓北街一段
電話：1383-576-8658

大同

大同市大北街鼓樓北 500 米馬口招待所
電話：(0352) 560-5889

內蒙 - 呼和浩特

內蒙呼和浩特市賽罕區鄂爾多斯大街東瓦窯路口西 30 米路北
電話：(0471) 635-0139

包頭

包頭市昆區少先路錫華大門口東 S5 號門面
（民族東路和少先路路口向西20米）
電話：(0472) 591-0930

東北

哈爾濱

哈爾濱市開發區華山路 10 號與贛水路交叉處
（萬達廣場商務樓 4 號樓 3 樓）
電話：(0451) 8635-6305, 8886-8899　傳真：(0451) 8631-2244
手機：1383-609-1012

哈爾濱市南崗區通達街 36-1 號與元和街交叉處
（金源賓館旁）
電話：(0451) 5557-7999, 5557-7799　傳真：(0451) 8631-2244
手機：1383-609-1012

齊齊哈爾

齊齊哈爾市建華區中華路啟明小區 1 號樓 19 號
電話：(0452) 256-3169, 256-6179　傳真：(0452) 256-6179
手機：1300-973-3104

大慶

大慶市薩爾圖區萬寶一區 1-34 號樓商服 9 門萬興路 128 號
（萬寶一區幼兒園南側）
電話：(0459) 668-0144, 668-0244　傳真：(0459) 668-0244
手機：1383-697-7458

大慶市讓區遠望電業局裙房中央大街 264 號商服
（遠望高層 14 號樓西側）
電話：(0459) 501-2883, 613-3244　傳真：(0459) 613-3244
手機：1383-697-7458

牡丹江

牡丹江市東平安街 138 號（平安街與東四條路街口南側）
電話：(0453) 863-4508, 641-7658　傳真：(0453) 641-7958

佳木斯

佳木斯市向陽區光復路 1227 號（千里學團西側）
電話：(0454) 682-6802, 862-2614　傳真：(0454) 862-2614

長春

長春市朝陽區崇智路 488 號（北安小學南門正對面）
電話：(0431) 8892-6155　傳真：(0431) 8898-1353

長春市清明街 73 號 1-1 號 般若寺 (大廟) 後側
電話：(0431) 8897-5155

吉林

吉林市船營區琿春街 63 號（商業大廈南 50 米）
電話：(0432) 206-0855

四平

四平市鐵西區英雄大街林業局正對面地質三所樓下
電話：(0434) 364-5890　手機：1333-155-2345

白城

白城市中興東大路 2-3 號白城商場東斜對面
電話：(0436) 610-1345, 324-5114
手機：1333-155-2345, 1394-360-6269

通化

通化市新開道土地管理局右側 100 米
電話：(0435) 508-5778　手機：1390-430-6178

松原

松原市前郭爾羅斯大路 2266 號（君建化妝品公司）
電話：(0438) 507-2691

遼源

遼源市龍山公園北門斜對面部長樓 108 號門市
電話：(0437) 327-1669, 297-8728　手機：135-0089-6737

沈陽

沈陽市和平區南昌街 18 號（門前有紅旗）
（聯營百貨公司路北；建設銀行大樓後面）
電話：(024) 2326-7721, 2326-1295

沈陽市沈河區十一緯路 147 號（雪雅會館內）
（沈陽市委南側；美景海鮮食府或唐朝燕鮑翅旁）
電話：(024) 8111-9686, 8208-7816

沈陽市沈河區廣宜街 15 號普臣商廈一層 B9 號
（樂購/普臣商廈內；太清宮路北側）
電話：1584-036-2343, (024) 8102-2271

大連

大連市中山區天津街 135 號碩麟古玩藝術品廣場 2FA-4
（天津街與民生街交匯處；原天植商城 B 座；二樓滾梯左側）
電話：(0411) 8256-5760　手機：1384-268-1176

鞍山

鞍山市四隆廣場四層 E 區 324 號（吉祥物工藝品）
電話：(0412) 223-9506, 515-2976

丹東

丹東市元寶區公安街（女人街商場內文化街 129 號）
電話：1394-257-4201, 1394-253-9473

普蘭店

普蘭店市體育路鴻源商貿 - 太極祥古文化吉祥物
（盛麟中心市場正門對面、東北鞋城一號門旁）
電話：(0411) 8313-7566
手機：1394-268-4629, 1394-266-4085

盤錦

盤錦市雙台子區順地城一樓城西一街 41 號
電話：1513-426-7815

新疆

新疆烏魯木齊市公園北街 381 號
（碾子溝機電大廈紅綠燈交匯處）
電話：(0991) 582-9922, 885-7688　傳真：(0991) 582-9922
手機：1357-993-5666, 138-2172-2988

牛年吉祥物彩圖

集雅軒
ELEGANTCHARM

牛年吉祥物

集雅軒文化有限公司

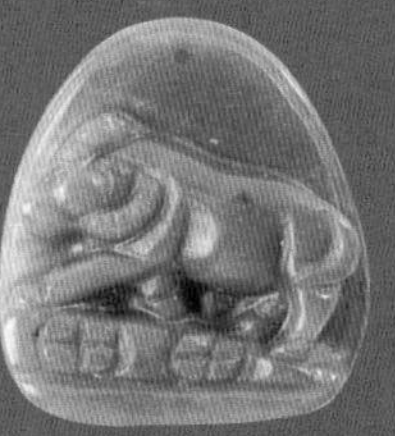

春牛登高

春回大地，萬物欣欣向榮，亦是耕牛最活躍的大好時光。一對健壯的耕牛，踏著茂密的青草，在春光明媚之際登上高岡，組成一幅不畏艱辛而奮勇向上的景象。

屬牛的人今年遇本命年，命宮中又凶星眾多，運勢低沉不振！宜在南方或檯頭，擺放一對棕黃色的春牛登高來化煞。

集雅軒
ELEGANTCHARM

牛年吉祥物

集雅軒文化有限公司

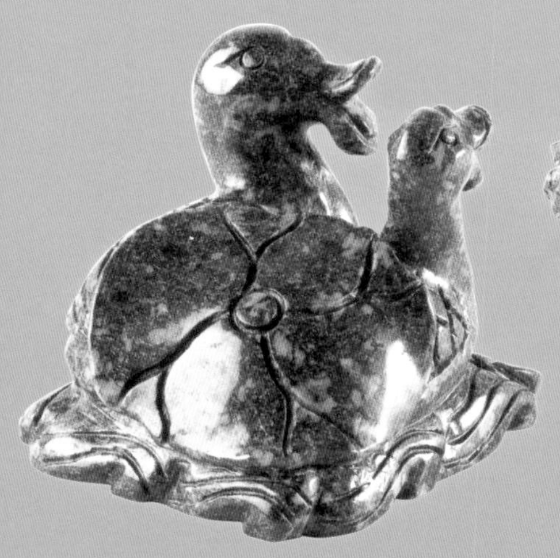

年年同心

鴛鴦，一直被視為感情堅貞的禽鳥，朝夕雙棲雙宿。蓮與年同音，故此兩片蓮葉，象徵年年。一對交頸同游的鴛鴦，穿梭在兩片蓮葉之間，組成年年同心的吉祥景象。

屬虎的人今年運勢吉凶參半，幸有紅鸞照命，可望逢凶化吉！宜在南方或床頭，擺放一對墨綠色的年年同心來生旺。

牛年吉祥物

集雅軒
ELEGANTCHARM

集雅軒文化有限公司

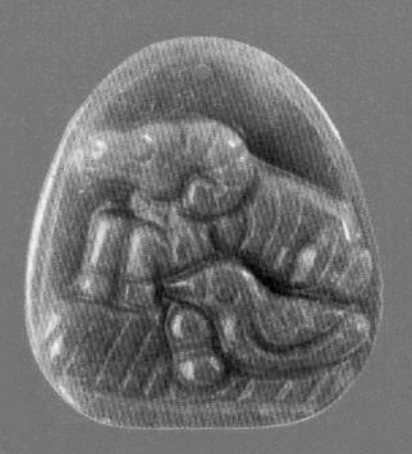

喜氣洋洋

喜鵲，一直被視為喜樂幸福的象徵，所以大受歡迎。羊與洋同音，所以兩隻羊正是洋洋的象徵。一對孵蛋的喜鵲，配上一對代表如意吉祥的羊，組合而成喜氣洋洋。

屬兔的人今年命宮中凶星混雜，運勢低沉，而且又易惹官非！宜在西北或床頭，擺放一對紅色的喜氣洋洋來生旺。

牛年吉祥物

虎兔呈祥

寅屬虎，而卯屬兔。

在中國傳統術數之中，有寅卯辰三合之說！故此虎及兔加上屬龍的人，便形成三合之局；三合則力量倍增。虎及兔守護辟邪明珠，組成虎兔呈祥。

屬龍的人今年運勢曖昧，必須慎防小人，並需慎防墮入圈套！宜在東南或檯頭，擺放一對棕紅色的虎兔呈祥來化煞。

牛年吉祥物

集雅軒文化有限公司

三龜抱珠

龜，是古代的四靈之一，亦是象徵平安長壽的動物。珍珠，一直被視為是無價寶，而其中又以圓而大者最為珍貴！三隻靈龜環抱著一顆大明珠，是平安富貴的象徵。

屬蛇的人今年運勢尚可，但有指背凶星照命，口舌是非特多！宜在南方或床頭，擺放一對深藍色的三龜抱珠來化解。

牛年吉祥物

集雅軒 ELEGANTCHARM®

集雅軒文化有限公司

脫穎而出

能夠脫穎而出的人，必是具有真才實學的傑出之士！能夠從蛋中破殼而出的雞鶵，亦必是生命力頑強的生物。一隻破殼而出的雞鶵，仰頭向著母雞呼喚，象徵脫穎而出。

屬馬的人今年運勢一波三折，勞而無功；並因受欺而難以出頭！宜在西北或床頭，擺放一對粉紅色的脫穎而出來催旺。

牛年吉祥物

集雅軒文化有限公司

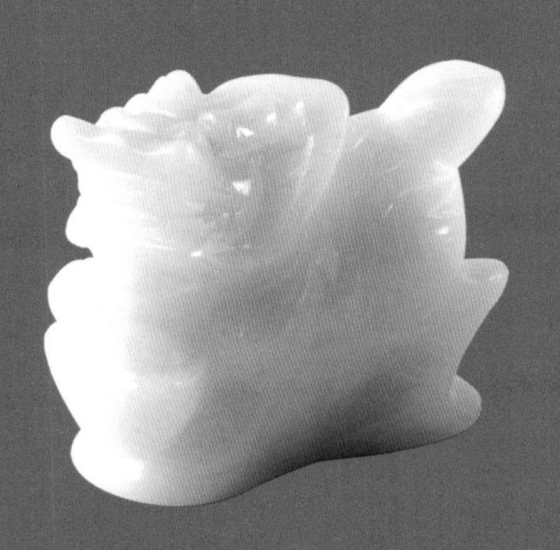

麟鳳獻寶

中國古代有「四靈」之說，麒麟與鳳凰均有列在其中，故此這兩者一直均大受歡迎喜愛。元寶，是古代財富的象徵；麒麟與鳳凰齊來獻寶，是富貴吉祥的喜兆。

屬羊的人今年命犯太歲，運勢崎嶇，慎防功敗垂成，錢財易洩！宜在南方或床頭，擺放一對白色的麟鳳獻寶來化煞。

集雅軒
ELEGANTCHARM®

牛年吉祥物

集雅軒文化有限公司

鼠猴從龍

中國傳統術數之中，有申子辰三合之說！三合便可力量倍增，奸邪辟易云云。申是猴而子是鼠，再加上屬龍的辰，即符合申子辰三合局，是平安吉祥的喜兆。

屬猴的人今年吉星拱照，運勢有如日正中天，可望平步青雲！宜在東南或檯頭，擺放一對黑色的鼠猴從龍來催旺。

牛年吉祥物

集雅軒
ELEGANTCHARM®

集雅軒文化有限公司

福如東海

福如東海，是表示福澤有如東海這般深闊。生命力頑強的鯉魚，在東海的波濤中跳躍翻騰，再加上三隻象徵幸福的蝙蝠及剛昇起的朝陽；組合而成健康幸福的吉兆。

屬雞的人今年吉星拱照，運勢大吉大利；但必須慎防水險！宜在南方或床頭，擺放一對深藍色的福如東海來坐鎮。

集雅軒

ELEGANTCHARM

牛年吉祥物

集雅軒文化有限公司

狗

勇往直前

看準目標，然後勇往直前，往往可以排除諸多困難險阻，直向成功大道邁進！駿馬奔馳起來，很多動物均望塵莫及！飛馳的駿馬，加上一串古錢，組成勇往直前吉兆。

屬狗的人今年福星高照，正宜大展鴻圖，把握時機勇往直前！宜在西北或檯頭，擺放一對紅色的勇往直前來添旺。

牛年吉祥物

集雅軒
ELEGANTCHARM

集雅軒文化有限公司

勇攀高峰

險峻的山峰，往往令人望而卻步，但對擅於攀爬的靈猴，卻輕而易舉。兩隻精靈活潑的靈猴，互相幫忙，奮勇攀上高峰來採摘峰頂的大壽桃，組成勇攀高峰的吉兆。

屬豬的人今年運勢平平，工作壓力沉重，必須與人衷誠合作！宜在東北或床頭，擺放一對黑色的勇攀高峰來生旺。

集雅軒
ELEGANTCHARM®

牛年吉祥物

集雅軒文化有限公司

杏林春暖

古時，杏林以及妙手回春，均用以稱頌能夠起死回生的大國手。一對生機蓬勃的燕子，在春回大地之際，飛到開滿杏花的杏林之中，組成健康茁壯的吉祥景象。

屬鼠的人今年雖有眾多吉星拱照，運勢暢旺，可惜病符照命。宜在西北或床頭，擺放一對翠綠色的杏林春暖來化煞。

方位吉祥物

集雅軒文化有限公司

今年的東方是三煞位，而又有七赤破軍星飛臨，特易招災惹禍！

獅象守門

若要化解盜竊及官非，可擺放一對以黑石雕成的獅象守門來坐鎮。

石兔

若想化解家宅不寧、分解崩離之弊，可擺放一對黑色的石兔來化解。

方位吉祥物

集雅軒文化有限公司

今年當旺的財星八白飛臨東南方，但可惜陰煞之氣瀰漫，故此吉中帶凶。

一團和氣

若要招財而又能化煞，可擺放一座紅色的一團和氣作為方位吉祥物。

鯉躍成龍

若要生旺文昌利功名，可擺放一對紅色的鯉躍成龍來趨吉避凶。

方位吉祥物

集雅軒文化有限公司

今年的南方吉星會聚，而又有四綠文昌星飛臨；既旺財又旺功名利祿。

大展鴻圖

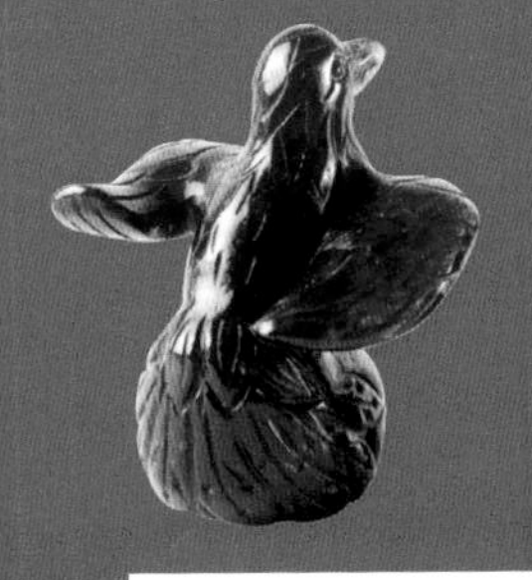

若想旺上加旺、脫穎而出，可擺放一對深藍色的大展鴻圖來催旺。

巨象汲水

若想感情和順、免卻煩惱，可擺放一對深藍色的巨象汲水來坐鎮。

方位吉祥物

集雅軒文化有限公司

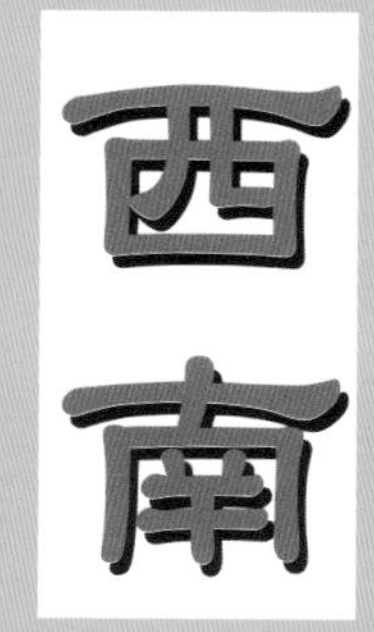

今年西南方沖犯太歲，幸有吉星化解，而又有六白財星飛臨，吉凶參半。

日月麒麟

若要納財而又可辟邪擋煞，可擺放一對墨綠色的日月麒麟來坐鎮。

鴻福有餘

若要確保錢財不外洩，可擺放一對墨綠色的鴻福有餘來趨吉避凶。

方位吉祥物

集雅軒文化有限公司

西方

今年的西方凶星會聚，而又有二黑病符星飛臨，故此凶多吉少！

出水龜荷

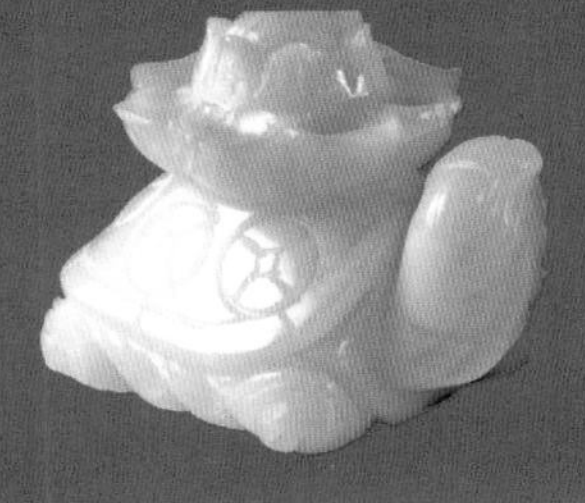

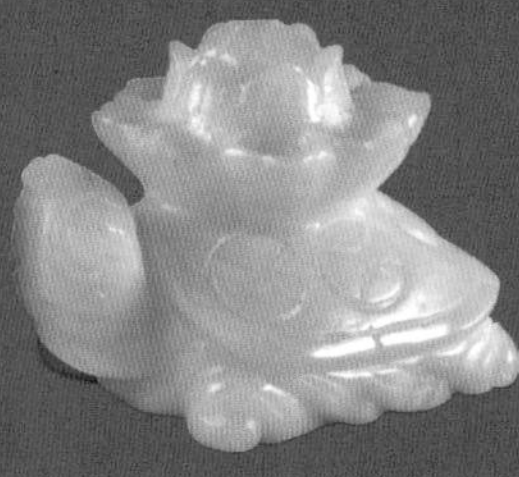

若要確保平安而又消災解難，可擺放一對白色的出水龜荷來化解。

雙龍獻珠

若要避免口舌及家宅不寧，可擺放一座白色的雙龍獻珠來坐鎮。

方位吉祥物

集雅軒文化有限公司

今年西北方有一白財星飛臨，故此雖有年剋凶星，亦可算是當旺的財位。

鳳凰得寶

若想催旺財氣而又能化煞，可擺放一對黃色的鳳凰得寶來助旺。

福祿壽

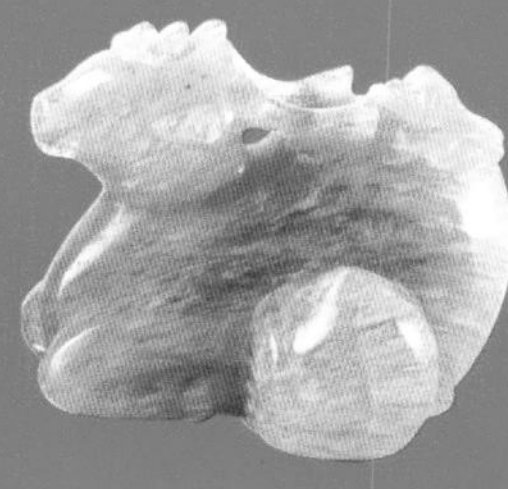

若要功名富貴能兼收並蓄，可擺放一對黃色的福祿壽來催旺。

方位吉祥物

集雅軒文化有限公司

北方

今年的北方因有五黃凶星飛臨，而又無吉星化解，故此特易招災惹禍！

萬象更新

若想消滅五黃凶星的煞氣，可擺放一對白色的萬象更新來坐鎮。

踏龜麒麟

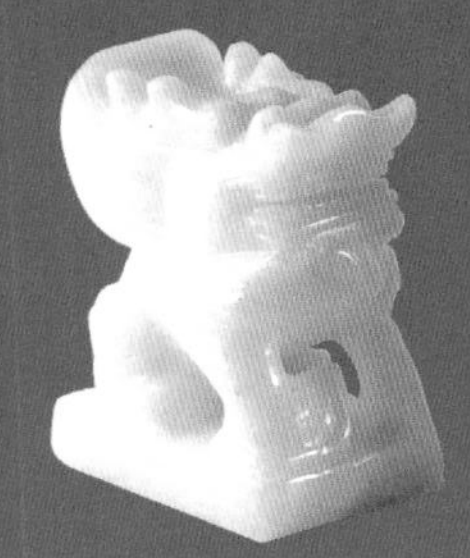

若想生旺家中的男丁，可擺放一對白色的踏龜麒麟來趨吉避凶。

ELEGANTCHARM

方位吉祥物

集雅軒文化有限公司

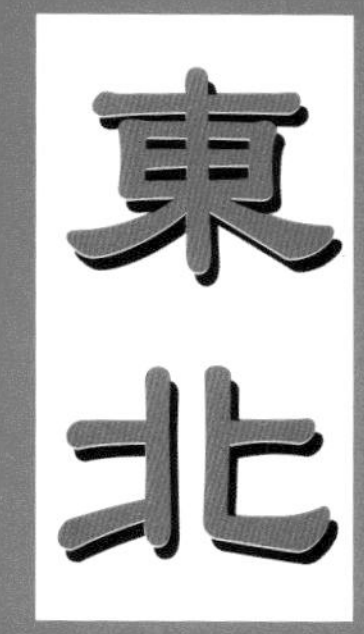

今年的東北是太歲方，故此煞氣頗重，切勿輕舉妄動，以免驚動太歲。

振翅飛獅

若想化解太歲的煞氣，可擺放一對紅色的振翅飛獅來坐鎮。

文昌塔

若想催旺功名利祿，可擺放一座紅色的文昌塔來趨吉避凶。

牛年吉祥物

包裝及全新防偽標

玉咀咕

防僞標

防僞外盒標

請撥電話辨真僞

電話：(86)4008155888

互聯網：www.t3315.com

禮品盒